Miroslav Hošek

Das Bläserquintett

The Woodwind Quintet

1979

Bernhard Brüchle Edition
Ludwig Thoma-Str. 2 b, D- 8022 Grünwald

Englisch von Colleen Gruban, München
English by

Titelzeichnung von Werner Degreif, Hamburg
Frontispiece by

Ⓒ 1978, Miroslav Hošek, Olomouc & Mojmír Dostál, Konice, CSSR
ISBN 3-921847-01-X

INHALT

CONTENTS

VORWORT

Das Bläserquintett zählt zu den beliebtesten und beständigsten Kammermusikgruppen für Blasinstrumente. Seit Anton Reichas Zeiten hat es seine Besetzung unverändert bewahrt: Flöte, Oboe, Klarinette, Horn und Fagott. Es existiert eine Unmenge an Literatur für dieses Ensemble, die eine übersichtliche Aufzeichnung dringend benötigt. Dieses Buch soll allen Freunden des Bläserquintetts entgegenkommen, indem es ein Verzeichnis gedruckter und ungedruckter Kompositionen vorlegt. Die Absicht des Autors ist es ferner, die Forschungstätigkeit der Bläserquintett-Mitglieder anzuregen und zu unterstützen; sie ist verdienstvoll und beliebt und hat im allgemeinen ein hohes Niveau. Nicht nur neu entstandene Werke, sondern auch alte und vergessene Kompositionen sind beachtenswert, ist es doch bekannt, daß nicht alle gute alte Musik gedruckt erschienen ist.

Der Autor möchte an dieser Stelle allen jenen danken, die mit ihren Informationen das Entstehen dieses Werkes gefördert haben. Er wertet dies als ein gutes Beispiel für eine internationale Zusammenarbeit. Gleichzeitig möge dieses Verzeichnis als eine Arbeitsgrundlage für eine weitere Vervollständigung dienen. Alle Anregungen und Ergänzungen sind willkommen und werden in einem Ergänzungsband verarbeitet werden.

Für das Mitwirken bei der Herausgabe dankt der Autor vor allem Herrn Bernhard Brüchle und Herrn Dr. Mojmír Dostál.

Olmütz, im Sommer 1978   Miroslav Hošek

Solooboist des Opernorchesters
im Staatstheater Oldřich Stibor
771 07 Olomouc, CSSR

Autor und Verleger möchten besonders den Verlagen Gustav Bosse, Regensburg und Das Musikinstrument, Frankfurt a.M. für die freundlich erteilte Genehmigung zum ausführlichen Zitieren bzw. Abdrucken von Abbildungen danken. Dank gilt ferner allen an entsprechender Stelle genannten Verlagen und Institutionen für ihre bereitwillige Unterstützung und das Bereitstellen von Abbildungen.

FOREWORD

The woodwind quintet is one of the most popular and constant chamber music groups for wind instruments. Since the times of Anton Reicha the ensemble has remained the same: flute, oboe, clarinet, horn, and bassoon. The tremendous amount of literature which exists for this ensemble is sorely in need of being clearly organized and catalogued. This book, which presents an index of published and unpublished works, is offered as an aid to all friends of the woodwind quintet. Moreover, it is the intention of the author to activate and support the research activities of the members of woodwind quintets. This research is creditable and well-thought-of and is generally conducted at a high level. Not only recent works, but also old and forgotten compositions are worthy of regard, since it is well-known that not all good old music has been published.

The author would like to take this opportunity to thank all those who have contributed information to help make this work possible. He values this as a good example of international cooperation. At the same time it is hoped that this index will serve as a working basis for a more complete version. All suggestions and additions are welcome and will be included in a supplemental volume.

Above all the author would like to thank Mr. Bernhard Brüchle and Dr. Mojmír Dostál for their cooperation on the publishing of this work.

Olmütz, summer 1978

Miroslav Hošek

Solo-oboist of the Opera
Orchestra in the National
Theatre Oldřich Stibor
771 07 Olomouc, CSSR

Author and publisher would like to thank especially the publishing houses Gustav Bosse, Regensburg and Das Musikinstrument, Frankfurt am Main for theit kind permission to cite or reprint illustrations. Thanks go also to all publishing houses and institutions acknowledged in this book for their friendly cooperation and help in making illustrations available.

Die Bibliographie der Bläserquintette führt gedruckte und un-
gedruckte, im Handel erhältliche und nicht mehr erhältliche Werke
an; sie stellt also keinen Verkaufskatalog dar. Nur der Fachhandel
und die Verlage können Auskunft über die Erhältlichkeit geben.

Die Nationalität der Komponisten ist einfachheitshalber mit-
hilfe der international üblichen Kfz-Abkürzungen angegeben. Für
deutsche Komponisten wird einheitlich D verwendet.

In der mittleren Spalte werden, soweit bekannt, das Kompositions-
jahr und die Aufführungsdauer angegeben. Der Herausgeber wird in
Klammern angeführt. Bearbeitungen sind durch den Zusatz arr. =
arrangiert gekennzeichnet, Schallplattenaufnahmen durch o.

In der rechten Spalte wird die Quelle angegeben. Angaben ohne
Klammern sind Originalquellen wie Verlage und Bibliotheken. Angaben
in Klammern verweisen auf andere Bibliographien oder Lexika, die
zitiert wurden. Die ausführlichen Quellenangaben sind im Anhang zu
finden. Die Verlagsangaben wurden nach bestem Wissen des Verfassers
erstellt, doch kann es vorkommen, daß gelegentlich nicht der Origi-
nalverlag sondern ein ausliefernder Verlag genannt wird, der das
entsprechende Werk in seinem Programm führt.

Leider ist es nicht immer leicht festzustellen, wann Musika-
lien veröffentlicht wurden. Konnte das Editionsjahr nicht eruiert
werden, so gibt die Jahreszahl in der rechten Spalte das letzte
Jahr an, in dem das Werk dem Verfasser nachweisbar war. Dieser Kom-
promiß erschien angebracht, um dem Benützer doch einen gewissen
Hinweis auf die Erreichbarkeit der Werke zu geben. Alte, auf jeden
Fall nicht mehr erhältliche Drucke sind mit * gekennzeichnet.

This Bibliography of Woodwind Quintets lists both published and unpublished works which may or may not be available in music-stores and is thus not intended as a sales catalogue. Information on the availability of a particular work can only be obtained from the publisher or a music dealer.

For simplicity the international automobile symbols have been used to indicate the nationality of the composer. German composers, whether from East or West Germany, are marked with D.

The middle column contains the year in which the piece was composed, if known, as well as the duration of performance. The editor is given in parentheses. Arrangements are marked by "arr." The symbol "o" is used to indicate a recording.

The source is given in the right hand column. Entries without parentheses are original sources such as publishing houses or libraries. Those in parentheses are taken from other bibliographies or lexicons. Detailed information on the sources can be found in the appendix. The author has attempted to be as accurate as possible in giving the actual publisher, but it could be that in some cases not the original but another publisher has been named that also had the particular work in its program.

Unfortunately it is not always easy to establish when a particular musical work was published. If it was not possible to discover the year of publication, then the number in the right hand column refers to the last year in which the author found it available. It seemed appropriate to make this compromise in order to give the user of this bibliography some idea as to the availability of the work in question. Very old prints which are no longer available have been marked with *.

ABKÜRZUNGEN

ABBREVIATIONS

Österreich	A	Austria
Australien	AUS	Australia
Belgien	B	Belgium
Bulgarien	BG	Bulgaria
Brasilien	BR	Brazil
Kuba	C	Cuba
Kanada	CDN	Canada
Schweiz	CH	Switzerland
Kolumbien	CO	Colombia
Tschechoslowakei	CS	Czechoslovakia
Deutschland	D	Germany
Dänemark	DK	Denmark
Spanien	E	Spain
Ecuador	EC	Ecuador
Frankreich	F	France
Griechenland	GR	Greece
Ungarn	H	Hungary
Italien	I	Italy
Israel	IL	Israel
Irland	IRL	Ireland
Island	IS	Iceland
Japan	J	Japan
Mexiko	MEX	Mexico
Norwegen	N	Norway
Niederlande	NL	Netherlands
Portugal	P	Portugal
Panama	PA	Panama
Peru	PE	Peru
Philippinen	PI	Philippine Islands
Polen	PL	Poland
Rumänien	R	Roumania
Argentinien	RA	Argentina
Chile	RCH	Chile
Schweden	S	Sweden
Finnland	SF	Finland
Sowjetunion	SU	Soviet Union
Türkei	TR	Turkey
Uruguay	U	Uruguay
Vereinigte Staaten v. Amerika	USA	United States of America
Jugoslawien	YU	Yugoslavia
Venezuela	YV	Venezuela
Südafrika	ZA	South Africa

DIE ENTSTEHUNG DES BLÄSERQUINTETTS

Das europäische Musikleben des 18. Jahrhunderts weist einen charakteristischen Zug auf: die Vorliebe für Bläsermusik. Kein Geschehnis von Bedeutung im Leben der damaligen Gesellschaft konnte die Musik der sogenannten "Harmonien" entbehren. Besondere Beliebtheit genoß diese Art von volkstümlich-unterhaltender Musik in Süddeutschland und beim österreichischen und tschechischen Adel.

Wo bessere Bedingungen vorherrschten fanden sich natürlich auch bessere Harmonien. Der Kaiser und Erzherzog Maximilian unterhielten in Wien Harmonien von bis zu 40 Mann. Kurfürst Franz Max in Bonn hatte hervorragende Musiker in seinem Oktett. Auch die Kapelle des Fürsten Esterházy, für die Joseph Haydn seine "Feldparthien" komponierte, erfreute sich eines vorzüglichen Rufes.

Diese Harmonien spielten im Quartett, Quintett, Sextett, Septett, doch am häufigsten Oktett in der Besetzung: 2 Oboen, 2 Klarinetten, 2 Hörner und 2 Fagotte. Die Flöte, noch zu Beginn des 18. Jahrhunderts ein Lieblingsinstrument breiter Volksschichten, war in den Harmonien fast überhaupt nicht vertreten. Entsprechend ihrem Unterhaltungscharakter fehlte es dieser Musik an technisch-virtuosen Elementen. Die Kompositionen sind in einfachen Tonarten konzipiert, und auch die harmonische Ausstattung ist meist dürftig. Die Anzahl der Sätze schwankt zwischen zwei und zwölf. Beliebt ist die Liedform A-B-A oder die Rondoform A-B-A-C-A.

Trotz alledem finden sich Bläserwerke von hervorragender Qualität, so etwa von Telemann, Dittersdorf, Vent, Družecký, Mašek, Stamitz, Dušek, Rosetti. Gipfelpunkte dieses Genres sind die Serenade für 13 Blasinstrumente von W. A. Mozart, KV 361, Beethovens Rondino op. posth. und das Sextett op. 71. Daneben steht eine Unmenge von Werken wenig bedeutender Komponisten, die meistens auf Bestellung schrieben. Zahlreich sind auch die Bearbeitungen beliebter Melodien, ja ganzer Opern.

In der zweiten Hälfte des 18. Jahrhunderts änderte sich die Struktur des Musiklebens infolge der Emanzipationsbestrebungen der Bürgerschaft und des Niedergangs der aristokratischen Regierungsformen. Die volkstümliche Bläsermusik sank zu völliger Bedeutungslosigkeit ab. Indessen fing man an, Musik gewichtigeren Charakters zu pflegen, und zwar im städtischen Konzertsaal.

In dieser Zeit, im Jahre 1808, übersiedelte Antonín Rejcha (Anton Reicha) von Wien nach Paris. Er fand dort nicht nur ein blühendes, gut organisiertes Musikleben vor, sondern auch ausgezeichnete Bläser, die am Pariser Konservatorium geschult waren.

Reicha hat das größte Verdienst um die Einführung des Bläserquintetts als einer neuen Form der Instrumentalbesetzung, wenngleich er auch nicht der erste war, der ein Werk für fünf verschiedene Blasinstrumente schrieb. Das erste Werk dieser Art in der Besetzung Flöte, Oboe, Klarinette, Englisch Horn und Fagott stammt von Anton Rosetti (ca. 1750 - 1792), doch ist es in seinem Charakter noch der Unterhaltungsmusik des ausgehenden 18. Jahrhunderts verbunden. Drei Bläserquintette von Nikolaus Schmitt (gestorben ca. 1802) blieben unbekannt und drei weitere von G. G. Cambini (1746 - 1825) erschienen in den Jahren 1812 bis 1822 im Druck.

Den Anfang der Ära des modernen Bläserquintetts bilden Reichas sechs Quintette op. 88. Sie stellen außerordentliche Ansprüche an die einzelnen Musiker. Mit dem Erfolg dieser Werke sind die Namen der ersten Interpreten verbunden: Der Flötist Josef Guillou (1787 - 1853), der Oboist Gustave Vogt (1781 - 1870), der Klarinettist J.-J. Boufil (1783 - ?), der Hornist L.-F. Dauprat (1781 - 1868) und der Fagottist A.-N. Henry (1777 - 1842). Man nannte sie "Reicha-Quintett". Alle waren später als Professoren am Pariser Konservatorium tätig, aus dem sie hervorgegangen waren und in dem sie ihre ersten Erfolge feierten.

Nach dem Pariser Vorbild entstand auch in Wien im Jahre 1821 ein Bläserquintett, das "Harmonie-Quintett". Die Mitglieder waren der Flötist Johann Sedlaczek (1789 - 1866), der Oboist Ernst Krämer (1795 - 1837), der Klarinettist Sedlek (gestorben 1851), der Hornist Friedrich Hradetzky (1776 - 1844) und der Fagottist August Mittag (1796 - 1867). Auch sie führten alle 24 Quintette von Reicha mit großem Erfolg auf.

Reicha war Vorbild für seine Schüler am Konservatorium wie für seine Komponisten-Kollegen. Von diesen schrieben unter anderem für Bläserquintett: Georges Onslow, Johann Wilhelm Mangold, Martin Joseph Mengal, Henri Brod, P.-D. Deshayes, G. G. Cambini, F. R. Gebauer usw. Franz Danzi bekannte sich zu seinem Vorbild Reicha, indem er ihm seine Quintette widmete. In der ersten Hälfte des 19. Jahrhunderts entstanden insgesamt fast 70 Bläserquintette.

Gewöhnlich sind hohe technische Anforderungen typisch für das Bläserquintett. Reicha beschleunigte den Prozeß des Ausgleichs zwischen den Streich- und Blasinstrumenten. Von da an führt ein gerader Weg zum modernen Einsatz der Blasinstrumente in der Orchestermusik des 19. Jahrhunderts. Das Bläserquintett stellt seitdem eine feste Form des Bläser-Ensembles dar und wird von Musikern wie Komponisten und der Hörerschaft gleichermaßen geschätzt.

Im wesentlichen nach Udo Sirker: Die Entwicklung des Bläserquintetts in der ersten Hälfte des 19. Jahrhunderts; Regensburg, Bosse, 1968

Henri Brod

Lithographie von   lithograph by
Horace Vernet & Léon Viardot, ca. 1835
(Bibliothèque national, Paris)

Franz Danzi

Lithographie von   lithograph by
Heinrich E. v. Wintter, 1825
(Bildarchiv der Österreichischen Nationalbibliothek)

Carl Amand Mangold

zeitgenössischer Zeitungsdruck   contemporary journal print
(Bibliothèque national, Paris)

Martin Joseph Mengal
Lithographie von   lithograph by
P. C. Van Geel, Paris 1835
(Bibliothèque national, Paris)

Georges Onslow

nach einer zeitgenössischen   after a contemporary
Lithographie   lithograph
(Bärenreiter-Bild-Archiv)

Anton Joseph Reicha

auf dem Totenbett   on the deathbed
Lithographie von   lithograph by
                    J. van den Berg, 1836
        (Bildarchiv der Österreichischen Nationalbibliothek)

THE   ORIGIN   OF   THE   WOODWIND   QUINTET

An important characteristic of the musical life in eighteenth-century Europe is a predilection for music for wind instruments. No important event in the social life of the times would have been complete without the music of the so-called "Harmonien." This type of popular folk music enjoyed particular favor in Southern Germany and among the Czech and Austrian nobility.

Naturally the quality of the "Harmonien" was highest where the conditions were most favorable. In Vienna the Emperor and Archduke Maximilian supported "Harmonien" with up to forty players. Elector Franz Max in Bonn had outstanding musicians in his octet, and also Prince Esterhazy's orchestra, for which Joseph Haydn composed his "Feldpartien," had an excellent reputation.

These "Harmonien" played in quartet, quintet, sextet, septet, but primarily in octet with the following ensemble: 2 oboes, 2 clarinets, 2 horns, and 2 bassoons. The flute, which at the beginning of the eighteenth century was still a favorite instrument among the general population, was almost never among the instruments of a "Harmonie." The existing music for flute, which was composed primarily for entertainment, lacked the necessary elements of virtuosity. The compositions are written in a simple key, and the harmonic arrangement is usually inadequate. The number of movements varies from two to twelve. Favorite forms are the song A-B-A and the rondo A-B-A-C-A.

In spite of all this one finds works for wind instruments which are of high quality, for example by such composers as Telemann, Dittersdorf, Vent, Družecký, Mašek, Stamitz, Dušek, Rosetti. The pinnacle for this genre was reached in the Serenade for Thirteen Wind Instruments by W. A. Mozart, K 361, and in two pieces by Beethoven: Rondino, op. post. and the Sextet, op. 71. There exists besides these a great number of works by less important composers, who wrote mainly on order. There are also numerous arrangements of well-loved melodies and also of complete operas.

In the second half of the eighteenth century the structure of musical life was changed by the striving of the populace for emancipation and by the decline of the aristocratic forms of government. Popular music for wind instruments beçame completely unimportant, whereas more emphasis was placed on music of a more serious nature, which was often presented in civic concert halls.

It was at this period, in the year 1808, that Antonín Rejcha (Anton Reicha) moved from Vienna to Paris. There he found not only a blossoming and well-organized musical life, but also excellent wind instrumentalists, who had been trained an the Paris Conservatory.

Reicha is the person mainly responsible for the introduction of the woodwind quintet as a new form of instrumental group, although he was not the first to write a work for five different wind instruments. The first composition of this type for flute, oboe, clarinet, English horn, and bassoon by Anton Rosetti (ca. 1750 to 1792) is, however, still related in character to the popular music which prevailed at the end of the eighteenth century. Three woodwind quintets by Nikolaus Schmitt (died ca. 1802) have remained unknown, and three others by G. G. Cambini (1746 to 1825) appeared in print between 1812 and 1822.

Reicha's six quintets, op. 88, mark the beginning of the era of modern woodwind quintets. They are difficult pieces which demand great skill on the part of each of the musicians. The names of the first interpreters of these works, the flutist Josef Guillou (1787 - 1853), the oboist Gustave Vogt (1781 - 1870), the clarinetist Jacques-Jules Boufil (1783 - ?), the hornist Louis-François Dauprat (1781 - 1868), and the bassoonist Antoine-Nicolas Henry (1777 - 1842), are closely connected with their success. The group was called the "Reicha Quintet." Later all became professors at the Paris Conservatory, from which they came and at which they celebrated their first successes.

In Vienna in 1821 another woodwind quintet came into being which was patterned after the Paris model. The members of this group, which was called the "Harmonie Quintett," were the flutist Johann Sedlaczek (1789 - 1866), the oboist Ernst Krämer (1795 - 1837), the clarinetist Sedlek (died 1851), the hornist Friedrich Hradetzky (1776 - 1844), and the bassoonist August Mittag (1796 - 1867). They too performed all twenty-four of Reicha's quintets with great success.

Reicha was the ideal of his students at the Conservatory as well as of his fellow composers. Some of these also wrote compositions for woodwind quintet, among others: Georges Onslow, Johann Wilhelm Mangold, Martin Joseph Mengal, Henri Brod, P.-D. Deshayes, G. G. Cambini, F. R. Gebauer, etc. Franz Danzi showed recognition of his ideal Reicha by dedicating his quintets to him. In the first half of the nineteenth century nearly seventy woodwind quintets were produced.

The typical woodwind quintet usually requires a high degree of technical skill. Thus Reicha helped to put the woodwinds on the same level with stringed instruments. From this point on the way was clear for the modern use of wind instruments in the orchestral music of the nineteenth century. Since then the woodwind quintet represents an established form of wind ensemble and is held in high esteem by musicians as well as composers.

Essentially according to Udo Sirker: Die Entwicklung des Bläserquintetts in der ersten Hälfte des 19. Jahrhunderts; Regensburg, Bosse, 1968

AKUSTIK UND AUFFÜHRUNGSPRAXIS

von Mojmír Dostál

im wesentlichen nach Jürgen Meyer: Akustik
und musikalische Aufführungspraxis,
Frankfurt am Main, Das Musikinstrument, 1977

Die Abbildungen auf den Seiten 29, 31, 32, 33,
34, 35, 36 und 37 sind diesem Werk entnommen.

Musik wird meistens in geschlossenen Räumen betrieben, was gewisse akustische Folgerungen mit sich bringt. Schallwellen aus einer Quelle können sich dabei nicht ins Unendliche ausbreiten, sondern treffen auf Wände, Decke, Fußboden, Bestuhlung sowie auf die Zuhörer auf, werden zurückgeworfen und vermengen sich mit den immer neu ankommenden Schallwellen zu einem Gemisch, dessen Beschaffenheit für die Raumakustik von entscheidender Bedeutung ist. Bei jedem Rückprall wird aber ein Teil der Schallenergie verschluckt und geht verloren. Das Maß dieser Absorption ist von der Beschaffenheit der reflektierenden Flächen abhängig. Verschiedene Materialien weisen ein unterschiedliches Absorptionsvermögen auf. Glatte Flächen aus hartem Material schlucken wenig und reflektieren einen hohen Anteil der Schallenergie, sind also gute Schallreflektoren, wohingegen weiche und poröse Materialien eine hohe Absorptionsfähigkeit haben. Es gibt Schallschlucker, welche mit Vorliebe die hohen Frequenzen absorbieren, während andere wieder die tiefen bevorzugen. So sind z.B. Teppiche und poröse Stoffe ausgesprochene Tiefenschlucker. So ist man imstande, mittels geeigneter Schall-Reflektoren bzw. -Absorber die Akustik eines Saales zu korrigieren.

Wenn die Schallquelle abgeschaltet wird, hört das Auftreff- und Rückprall-Spiel der Schallwellen nicht sofort auf, sondern es nimmt noch eine gewisse Zeitspanne in Anspruch, bevor die ganze Schallenergie absorbiert ist und der Schall erlischt. Dieser Vorgang heißt Nachhall. Seine Dauer wird in Sekunden bemessen und ist für die Raumakustik grundlegend wichtig. Die Nachhalldauer muß dem Raum angemessen sein. Räume mit langem Nachhall besitzen eine "lebendige Akustik"; dagegen sind Räume mit kurzem Nachhall "akustisch tot". Was in dieser Hinsicht angestrebt wird, ist gute "Diffusität" des Raumes, d.h. eine ideale Verteilung der Schalldichte in allen Punkten des Raumes. Dies setzt voraus:

a) richtige Form des Raumes
b) angemessenen Rauminhalt (Volumen)
c) optimalen Nachhall.

Zu a): Die herkömmliche Form der Konzertsäle ist die Quaderform mit rechtwinkeliger Konzeption und einfachen Proportionen. In der neuesten Zeit wird diese Konzeption als nicht mehr befriedigend verlassen und durch Asymmetrie und Unregelmäßigkeit ersetzt (z.B. Trapez, Fächerform usw.). Eine entscheidende Rolle spielt hier der sogenannte "Direktschall", welcher direkt von der Schallquelle ohne Reflexion zum Hörer kommt. Er ist der stärkste und getreueste aus dem Schallgemenge im Saal, und man ist bestrebt, seine Reichweite, den sogenannten Hallradius, möglichst weit in den Zuhörerraum zu verlängern. Dies wird mit einer angemessenen Überhöhung der Sitzplätze im Saal am besten erreicht.

Zu b): Der Rauminhalt (Volumen) richtet sich nach der Anzahl der Hörer. Die herkömmliche Regel fordert 3 bis 4 m³ Raum für jeden Zuhörer. Unter 3 m³ Raum pro Platz ist der Saal überdämpft und unhyhienisch. Moderne Architekten beanspruchen mindestens 6 bis 7 m³; das Optimum ist 8 bis 9 m³ pro Platz.

Mit Hinsicht auf eine bestimmte Kapazität des Saales muß man darauf achten, daß der Raum mit Schall nicht über- oder untersättigt wird. Dazu dienen die sogenannten Fülleinheiten*. Jedem Musikinstrument wird nach seinem dynamischen Umfang eine gewisse Anzahl von Einheiten zugeteilt, deren Summe dann mit dem Volumen des Saales verglichen wird. So z.B. beim Bläserquintett:

```
Flöte ............... 1 Fülleinheit
Oboe ............... 3 Fülleinheiten
Klarinette ........ 3 Fülleinheiten
Fagott ............ 3 Fülleinheiten
Horn .............. 4 Fülleinheiten

zusammen .......... 14 Fülleinheiten
```

Dies entspricht einem Volumen von 300 bis 350 m³.

Zu c): Im Nachhall verschmelzen einzelne Töne zu einem Gemenge von Direktschall und Reflexion. Bei richtigem Verhältnis von Direktschall und Nachhall wird eine Bereicherung des Gesamteindrucks an Klangfarbe und Stärke erzielt. Nichtsdestoweniger ist Deutlichkeit der Rhytmen und Homogenität des Gesamtklanges erforderlich. Einzelne Spieler sollen einander gut hören. Ausstattung, Bestuhlung und Besetzung des Saales spielen hier eine wichtige Rolle. Aus Erfahrung ist allgemein bekannt, wie sehr die Klangverhältnisse in einem leeren Saal von denen in einem vollbesetzten abstechen.

Angestrebt wird die optimale Nachhallzeit, die für jeden Saal spezifisch ist. Die größten Säle aus früherer Zeit weisen bei einem Volumen von 12 000 bis 20 000 m³ eine Nachhallzeit von 1,7 bis 2,05 sec auf, so z.B. der Große Musikvereinssaal in Wien: 14 600 m³ Volumen, 1 680 Sitzplätze, 2,05 sec Nachhallzeit. Moderne Säle mit einem Volumen von 15 000 bis 26 000 m³ haben Nachhallzeiten von 1,45 bis 2,00 sec, z.B. die Berliner Philharmonie bei einem Volumen von 22 000 m³ und 3 000 Sitzplätzen eine Nachhallzeit von 2,00 sec. Manche Konzertsäle haben ihre spezifischen Eigenarten und eignen sich zur Aufführung verschiedener Musikstile, so z.B. La Scala in Mailand (1,20 - 1,40 - 2,00 sec.) und das Gewandhaus in Leipzig (2,70 sec.)

---

* Der Begriff Fülleinheit wurde 1927 von Petzold eingeführt, stellt aber keine exakte und international anerkannte Meßeinheit dar.

Je zahlenmäßig stärker die ausführende Gruppe ist, einen
desto größeren Raum nimmt sie in Anspruch, sodaß einzelne Instrumente bzw. Instrumentengruppen voneinander und auch von den Zu-
hörern in ungleichen Entfernungen stehen. Die ideale Anordnung
wäre es, wenn der Klang aus einem von allen Hörern gleich weit
entfernten Punkt ausstrahlen könnte. Da dies undurchführbar ist,
soll die Gruppe wenigstens eine möglichst geschlossene Fläche ein-
nehmen.

Instrumente mit schwacher Klangintensität werden vorne bei
der Zuhörerschaft plaziert. Öffnungen der Resonanzkästen sowie
Schalltrichter der Blasinstrumente sind in Richtung auf die Zuhörer zu halten. Die Sitzordnung in großen Orchestern oder Gruppen ist keine einfache Angelegenheit. Entscheidende Rollen spielen dabei Beschaffenheit des Saales, Größe der Gruppe und Besetzung der Instrumente.

Ganz anders verhält es sich in der Kammermusik. Ursprünglich
der Gegensatz zur Kirchenmusik wurde sie von kleinen Laienensem-
blen in Adelspalästen und Bürgerhäusern als "Hausmusik" betrieben.
Wie die Besetzungszahlen, so waren auch die Aufführungsstätten
verhältnismäßig klein, was gewisse klangliche Vorteile mit sich
brachte:

a) Der Hörer befindet sich in der Nähe des Spielers und steht in
unmittelbarem Kontakt mit der Musik.
b) Die Nachhallzeit ist verhältnismäßig kurz, sodaß zwischen Direktschall und Rückprall nur eine kurze Zeitspanne verstreicht.
c) Durch räumliche Trennung einzelner Instrumente voneinander wird
ein stereophoner Effekt ermöglicht.

In der Barockzeit und in der frühen klassischen Epoche wurde
die Kammermusik in geräumigen, besonders hohen Sälen der Adels-
paläste gespielt. Moderne Kammermusiksäle sind mit einem Volumen
um 5 000 m^3 für 500 bis 600 Personen berechnet mit einer Nachhallzeit von ca. 1 sec. Dies ermöglicht ein klanglich durchsichtiges
Spiel, brillante Durchführung und Deutlichkeit der Rhytmen.

Die Sitzordnung des Bläserquintetts:

Von den fünf Instrumenten des Bläserquintetts besitzen das
Horn und das Fagott überwiegende Klangintensität und werden daher
im hinteren Bereich der Gruppe untergebracht. Ferner ist die Pla-
zierung des Fagotts auf der rechten Seite für den Bläser unbequem.

Für Klarinette und Oboe ist es von Vorteil, wenn sie sich ne-
beneinander befinden, doch ist dies keine unumgängliche Notwendigkeit.

Für die Flöte mit ihrer schwächeren Klangintensität und mit

der Rolle der führenden Stimme ist die Aufstellung ganz vorne eine Notwendigkeit (Konzertmeisterposition).

Daraus ergibt sich die übliche Aufstellung:

```
                    Horn
        Fagott              Klarinette
        Flöte               Oboe
```

Andere Version mit getrennter Klarinette und Oboe:

```
                Fagott
        Oboe                Horn
        Flöte               Klarinette
```

oder:

```
              Fagott
      Klarinette          Horn
      Flöte               Oboe
```

MUSIKAUFNAHMEN

Beim Aufnehmen der Musik ist es heute möglich, die Lautstärke einzelner Instrumente bzw. Gruppen, sowie die gesamte Lautstärke zu regeln, wie auch den Nachhall künstlich hervorzurufen, zu verlängern oder zu verkürzen. Dadurch entfallen viele Sorgen und Schwierigkeiten mit der Erzielung der gewünschten Klangfarbe und Intensität.

Aus der Praxis ist bekannt, daß die beste Nachhallzeit nicht so sehr von der Raumgröße als vielmehr von der Beschaffenheit der Musik selbst abhängig ist. Früher benützte man zum Aufnehmen von Musik verhältnismäßig kleine, stark gedämpfte Studioräume, beinahe ohne Nachhall. Moderne Studios sind geräumig wie übliche Konzertsäle und nicht selten mit Sitzplätzen für das Publikum ausgestattet.

KLANGSPEKTREN UND FORMANTEN

Die moderne Akustik befaßt sich mit der Analyse der komplexen Töne. Die Ausbeute dieser Forschung wird in sogenannten Klang- und Tonspektren sichtbar. Dies sind schematische Aufzeichnungen, welche den Aufbau der musikalischen Töne veranschaulichen. Sie verzeichnen den Grundton, harmonische Teil- oder Obertöne, Frequenzen in Hz (Hertz) und Schallenergie in dB (Dezibel).

Gewisse Teiltöne mit starker Intensität setzen sich durch beim Aufbau eines jeden Tonkomplexes und prägen ihm die für das betreffende Instrument typische Tonfarbe ein. Sie werden Formanten genannt.

27

Die Vokale der menschlichen Stimme haben ebenso ihre Formanten:

Formant "u" in der Frequenzlage   200 -   400 Hz
Formant "o" ....   400 -   600 Hz
Formant "a" ....   800 - 1 250 Hz
Formant "e" ....   1 800 - 2 600 Hz
Formant "i" ....   2 600 - 4 000 Hz

Wenn ein musikalischer Ton einen genügend starken Oberton im Bereich der Frequenzlage eines Vokalformanten besitzt, hat er die gleiche oder eine ähnliche Farbe wie der Vokal.

Linienspektren:

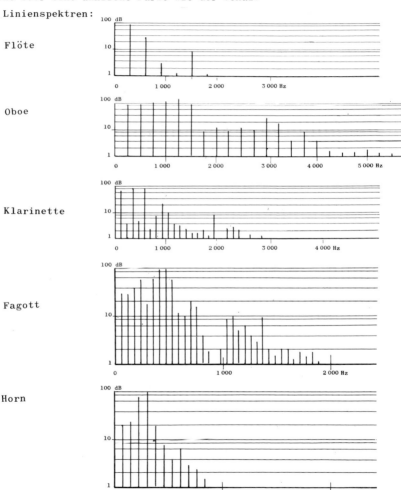

Der angesetzte Instrumental-Ton erklingt nicht sofort in seiner vollen Stärke und Farbe. Es dauert stets eine kürzere oder längere Zeit, ehe sämtliche Tonteile nacheinander zu ihrer definitiven Stärke und Farbe gelangen. Das Umgekehrte geschieht beim Ausklingen des Tones. Diese Vorgänge bezeichnet man als Ein- und Ausschwingprozeß und die dazu notwendige Zeit als Einschwing- und Nachklingzeit.

Beim Ansatz eines Tones entstehen ferner charakteristische Geräusche (Anblasgeräusche), ohne die der Ton seinen natürlichen Charakter verlieren würde. Weiterhin entstehen sogenannte Vorläufer-Töne als Produkt der hohen Frequenzen. Die Dauer der Vorläufer ist von der Frequenzlage abhängig; ihre Stärke ist durch die Schärfe des Ansatzes bedingt. Ein hart angesetzter Ton schwingt schneller ein als ein weicher.

Alle diese Einschwingprozesse beeinflussen den Toncharakter in beträchtlichem Maße, doch lassen sie sich innerhalb gewisser Grenzen vom Spieler meistern und für das Spiel ausnützen.

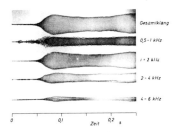

Oktavsieboszillogramm des Einschwingvorganges eines überblasenen Flötentones (g′′′).

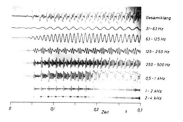

Oktavsieboszillogramm des Einschwingvorganges eines Fagottes (gespielter Ton B₁).

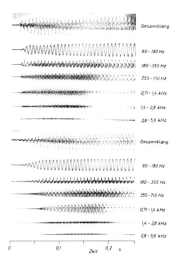

Oktavsieboszillogramme von Einschwingvorgängen einer Klarinette (gespielter Ton: d).
oben: angestoßener Ton
unten: weicher Ansatz

Kein Musikinstrument strahlt die Schallenergie in allen Richtungen in gleicher Stärke ab. Diese Erscheinung hängt mit Form und Aufbau des Instruments zusammen. An jedem Instrument kann man Stellen feststellen, die mehr Energie ausstrahlen (Löcher, Trichter), als andere mit schwacher Abstrahlung. Die ideale Strahlquelle wäre eine Kugel (atmende Kugel), welche gleichmäßig nach allen Seiten die Energie verteilte. Andersförmige Quellen könnten nur dann als kugelförmig angesehen werden, wenn sie im Vergleich zur Wellenlänge klein wären, also bei tiefen Frequenzen.

Wichtige Rollen spielen Frequenz und Intensität des Schalles. Man spricht von der Richtcharakteristik der Instrumente. Beim Horn ist diese Charakteristik weniger übersichtlich: Die Bläser halten das Instrument dicht am Körper, was eine Beugung des Schallstrahls um den Körper verursacht. Auch die Einführung der rechten Hand in den Schallbecher und die schräge Lage des Horns sind von Bedeutung für dessen Richtcharakteristik. Von den Hornbläsern wird manchmal verlangt, mit aufgehobenem Schallbecher zu blasen, was eine starke Zunahme der hohen Teiltöne zur Folge hat, wobei die Farbe heller, ja sogar schrill wird.

CHARAKTERISTIKEN EINZELNER INSTRUMENTE

FLÖTE

Der Tonumfang des Instruments reicht von ca. 260 bis 6 000 Hz. Die stärkste Tonkomponente ist der Grundton mit Ausnahme der tiefsten Lage, wo diese Funktion von der ersten Oktave übernommen wird. Die dadurch entstehende Abschwächung des Grundtons muß vom Spieler ausgeglichen werden. Sonst ist die Anordnung der Teiltöne ziemlich gleichmäßig.

Am Tonaufbau beteiligen sich außer Frequenzen auch Geräusche, die zur charakteristischen Klangfarbe des Instruments beisteuern. Mit steigender Tonhöhe nimmt die Stärke der Obertöne ab, und in den höchsten Tonkomplexen überwiegen die ungeradzahligen Tonteile. All dies hat eine Verminderung der Klangbrillanz in den höchsten Lagen zur Folge.

Die Flöte ist fähig, ein sehr schwaches Pianissimo, jedoch auch ein strahlendes Fortissimo zu produzieren. Ihre Grundfarbe ist verhältnismäßig hell, da die Grundtöne an sich hoch liegen.

Die zur vollen Entfaltung des Tones erforderliche Einschwingzeit ist bei der Flöte die längste von allen Blasinstrumenten.

Beim Anblasen entstehen Vorläufer-Töne als Produkt der höchsten Tonteile; ihre Dauer bewegt sich zwischen 50 und 100 ms (Millisekunden). Ihre Stärke ist durch die Schärfe des Ansatzes bedingt; sie fördern die Deutlichkeit des Staccatos.

Die Formanten des Flötentons sind schwach ausgebildet; für diese Instrumentengruppe sind sie allgemein wenig charakteristisch.

Hauptabstrahlungsrichtungen der Flöte (0 ... -3 dB):

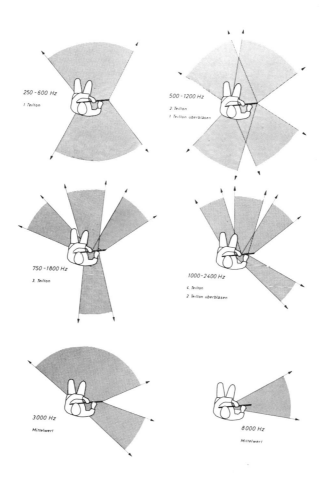

OBOE

Das Klangspektrum ist reich an Obertönen im Bereich von ca. 233 bis 12 000 Hz. Die stärksten Tonanteile liegen im Formanten- gebiet um 1 100 Hz, was dem Ton die Grundfarbe des Vokals "a" ver- leiht. Ein Unterformant (550 bis 600 Hz) verstärkt die tiefsten Töne und hat die Tendenz, die Grundfarbe in ein helles "o" zu überführen. Der Grundton der Oboetöne in der tiefen Lage ist ziem- lich schwach. In der Lage um 2 700 Hz kommen zwei Nebenformanten zum Vorschein (Grenzbereich zwischen den Farben "e" und "i"), dann noch weitere Teiltöne um 4 500 Hz und 9 000 Hz, was dem Oboeton eine ausgeprägte Helligkeit verleiht. In der unteren Lage überwiegen die geradzahligen Teile gegenüber den ungeradzahligen an Stärke, was sich in einem besonders offenen Klang äußert.

Die Farbe der höchsten Töne ist hart und wenig ausdrucksvoll, weil hier der Grundton überwiegt und an der Bildung der Tonfarbe keine hinreichende Anzahl von Teiltönen beteiligt ist. Im Pianis- simo entstehen Tonkomplexe mit sehr wenigen Teiltönen. Die höch- sten und tiefsten Töne kann man nicht zu leise spielen.

Die Einschwingzeit der Oboe ist sehr kurz: Dem Einschwing- vorgang stehen keine Geräusche oder sonstige Hindernisse im Wege. Deshalb ist der Toneinsatz klar und deutlich. Angestoßene Töne weisen selbst in der unteren Lage eine Dauer von etwa 40 ms auf, was sich mit ansteigender Frequenz auf 20 ms verringern kann. Aus diesem Grunde sind Oboen für ein kurzes, schnelles und genaues Staccato geeignet. Nichtsdestoweniger lassen sich die Töne auch weich ansetzen und entwickeln. Die Einschwingzeit kann in der Tie- fe auf 100 ms, in der Höhe auf 40 ms ausgedehnt werden.

Hauptabstrahlungsrichtungen der Oboe (0 ... -3 dB):

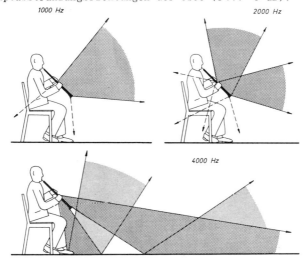

1000 Hz

2000 Hz

4000 Hz

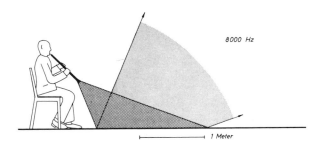

8000 Hz

1 Meter

KLARINETTE

Im Klangspektrum der Klarinette kann man drei unterschiedliche Gebiete feststellen:

Die untere Oktave, in der die ungeradzahligen Teiltöne wesentlich stärker ausgebildet sind als die geradzahligen.

Die mittlere Lage, in der die gerad- und ungeradzahligen Anteile ausgeglichen sind.

Die hohe Lage, in der wieder umgekehrt die geradzahligen Komponenten die Oberhand gewinnen.

Die Folge dieser Anordnung im ersterwähnten Fall ist der dunkle und hohle Klang der Klarinette, welcher sich zur Schilderung von düsteren und unheimlichen Stimmungen eignet. Im dritten Falle, in der hohen Lage, ist der Grundton die stärkste Komponente. Ihm folgt eine gleichmäßig abfallende Reihe von Teiltönen nach. Der Klang ist voll und rund. Ein "i"-Formant im Bereich von 3 000 bis 4 000 Hz verleiht dem Ton Glanz und Leuchtkraft.

Von allen Blasinstrumenten ist die Klarinette am fähigsten, das leiseste Pianissimo zu erzielen; sie besitzt aber auch ein sehr starkes Fortissimo. Zwischen einzelnen Dynamikstufen bestehen Variationen der Klangfarbe. In der tiefen Lage kommen Teiltöne bis zu 7 000 Hz vor, in der Mitte und Höhe über 12 000 Hz. Dies alles bedingt eine sehr breite dynamische Ausdrucksfähigkeit und ausgeprägte Tonbrillanz.

Die Einschwingzeit ist sehr kurz; nach 15 bis 20 ms ist der Vorgang abgeschlossen. Staccato-Töne weisen beinahe keine Vorläufer auf. Die Amplituden wachsen gleichmäßig in allen Bereichen der Obertöne an. Bei weichem Ansatz kann sich der Einschwingvorgang über mehr als 50 ms ausdehnen.

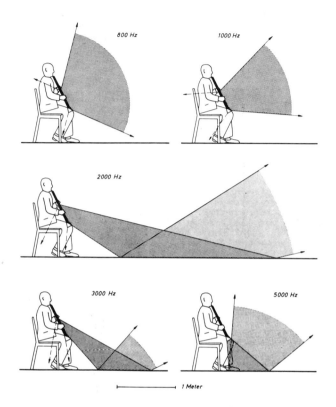

800 Hz

1000 Hz

2000 Hz

3000 Hz

5000 Hz

├───────────────┤ 1 Meter

FAGOTT

Das Instrument hat bei seinem ansehnlichen Tonumfang, namentlich in der Tiefe (C_1 = 58 Hz), eine verhältnismäßig schwache tiefste Lage. Das Maximum der Energie liegt erst beim 8. bis 9. Oberton. Das entspricht dem Hauptformanten des Instruments um 500 Hz. Diese zentrale Lage und die gleiche Breite des Hauptformanten mit demjenigen des Vokals "o" verleiht dem Fagott-Ton eine diesem sehr ähnliche Farbe.

In der eingestrichenen Oktave verlagert sich das Energiemaximum und der 2. Teilton etwas höher, was eine Abänderung der Klangfarbe in "ä" zur Folge hat. Die oberste Lage wird vom Grundton beherrscht. Die Farbe ist weniger ausgesprochen; nasale Teile gelangen zur Geltung.

Das Fagott besitzt eine sehr große Anzahl von Obertönen, die eine Reihe von Nebenformanten bilden (1 150, 2 000, 3 500 Hz); der erste greift in das Gebiet des hellen "a" hinein, was zu einer kräftigen Klangfarbe beisteuert.

Die oberen und mittleren Teiltöne schwingen sehr schnell ein (20 ms); deshalb ist der Toneinsatz sehr ausdrucksvoll. Tiefe Teiltöne brauchen dazu eine längere Zeit, sind aber energiearm, sodaß sie die Prägnanz des Einsatzes nicht stören.

Hauptabstrahlungsrichtungen des Fagotts (0 ... -3 dB):

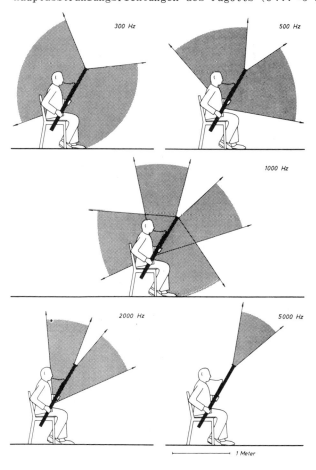

HORN

Der für das Horn typische Formant liegt bei ca. 340 Hz und gehört also dem Bereich des Vokals "u" an. Er verleiht dem Hornton einen runden, sonoren Klang. Unterhalb dieses Formanten nimmt die Stärke ab. Der tiefste erreichbare Grundton (H_1 = 62 Hz) ist gegenüber dem stärksten Teilton sehr schwach. Diese tiefen Frequenzen sind deshalb für die Klangfarbe des Horns bedeutungslos. Auch oberhalb des erwähnten Formanten nehmen die Amplituden ab, doch finden sich unter ihnen Nebenformanten, welche die Klangfarbe beeinflussen, so bei 750 Hz im Bereich der Vokalfarbe "ä", weiters bei 1 225, 2 000 und 3 500 Hz. Diese Reihe von Formanten hellt die Klangfarbe auf.

Die Danamik ist von ausschlaggebender Bedeutung für die Klangfarbe. Mit dem Anstieg der Dynamik wächst die Anzahl der mitklingenden Obertöne, was sich in einer Bereicherung der Klangfarbe äussert.

Angestoßene Töne beginnen mit einem Vorläufer-Impuls. Dieser enthält Teiltöne unter 1 000 Hz und dauert je nach der Schärfe des Ansatzes 10 bis 30 ms. Falls mehrere solche Impulse nacheinander folgen, wird ein unerwünschtes "rrr" im Toneinsatz laut. Bei langsamer Tonentwicklung entsteht ein "Kieckser".

Die Einschwingdauer der angestoßenen Töne beträgt in der hohen und mittleren Lage 20 bis 30 ms, in der Tiefe 40 bis 80 ms.

Das Horn hat seine speziellen Spielarten. Das Stopf-Sforzato, d.h. das Spiel mit fast gänzlich gestopftem Schalltrichter, wirkt metallisch und rauh. Beim Spiel mit aufgehobenem Schallbecher ohne die dämpfende rechte Hand darin, leidet leicht die Intonation und die Klangfarbe ist hart und roh.

Hauptabstrahlungsrichtungen des Horns (0 ... -3 dB):

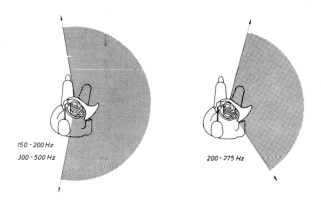

150 - 200 Hz
300 - 500 Hz

200 - 275 Hz

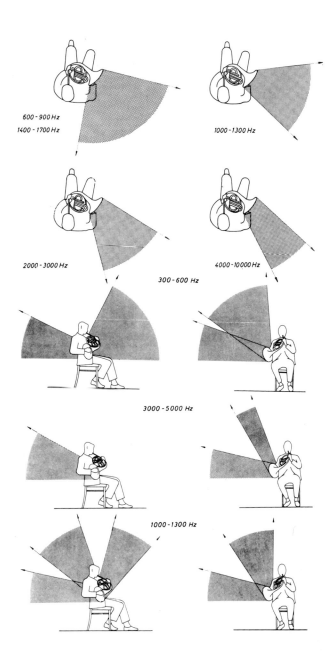

600 - 900 Hz
1400 - 1700 Hz

1000 - 1300 Hz

2000 - 3000 Hz

4000 - 10000 Hz

300 - 600 Hz

3000 - 5000 Hz

1000 - 1300 Hz

ACOUSTICS AND PERFORMANCE

by Mojmír Dostál

essentially according to Jürgen Meyer:
Akustik und musikalische Aufführungspraxis,
Frankfurt am Main: Das Musikinstrument, 1977

The illustrations on pages 29, 31, 32, 33,
34, 35, and 36 are taken from the English
version of this book.

The fact that musical performances generally take place in
an enclosed space such as a concert hall or auditorium has certain
consequences for the auditory effect produced. Sound waves emitted
from a particular source cannot spread out indefinitely in all directions, but strike against walls, ceiling, floor and seats, as
well as the people occupying them, and are then reflected back so
that they join with the oncoming waves to form a mixture whose
character is a determining factor for the acoustics of the room.
Each time a sound wave strikes an object, a certain amount of its
energy is absorbed by the object. The degree of absorption is dependent upon the nature of the reflecting surface. A smooth surface
of a hard material reflects the greater part of the sound energy,
whereas a soft, porous material is able to absorb much more. Some
materials swallow primarily higher frequencies, while others seem
to prefer the lower tones. Rugs and loosely woven fabrics, for example, are particularly effective in swallowing the deeper tones.
Thus one is in a position to correct the acoustics of a room by
making use of the appropriate reflectors or absorbers of sound.

When the source of the sound energy has been cut off, the
striking and springing back of the sound does not cease immediately.
A certain amount of time elapses before all of the sound energy is
absorbed and the sound fades away. This phenomenon is called resonance. Its duration is measured in seconds and is an essential factor for the acoustics of a room. A concert hall with a long period
of resonance is said to be "acoustically alive" while a hall with
a short resonance is described as "dead."

What is strived for is good diffusion of the sound density in
all parts of the room. To achieve this the following conditions are
necessary:

a) the correct form for the room,
b) the appropriate size,
c) optimal resonance.

Concerning a): The traditional form for a concert hall is rectan-
gular with simple proportions and all surfaces at right angles to
each other. Recently this concept has been abandoned in favor of
assymetrical and irregular forms (for example, trapezoid or fan-
shape). The so-called "direct sound," which reaches the hearer di-
rectly from the source without being reflected, plays a decisive
role here. This is the strongest and truest element of the sound
mixture in the hall, and it is desirable to extend its range as far
as possible into the auditorium. This can best be done by raising
the seats in the hall to the proper level.

Concerning b): The size of the room should be chosen according to the number of persons to be seated there. The general rule is 3 to 4 m^3 of space for each person in the audience. A room with less than 3 m^3 per seat has a dead sound and is also unhygienic. Modern architects prefer a minimum of 6 to 7 m^3, and 8 to 9 m^3 is considered optimal.

In consideration of the capacity of a concert hall, it is important to fill the room with sound without over-saturating it. The so-called "unit of intensity"* can be of great help here. Each musical instrument in a performing group is graded in units of intensity according to its dynamic range. The sum of these units for an instrumental group is then considered in relationship to the size of the hall in which it is to perform. For example, the woodwind quintet,

```
flute  ............ 1 unit
oboe   ............ 3 units
clarinet ......... 3 units
bassoon .......... 3 units
horn   ............ 4 units
```

which has a total of 14 units, requires a space of 300 to 350 m^3.

Concerning c): In resonance single tones melt together in a mingling of direct and reflected sound. As long as the direct and reflected parts of the sound remain in an appropriate proportion to each other, the total effect is one of enriched timbre and force. Nevertheless, it is also necessary to maintain the clarity of the rhythm and the homogeneity of the total sound. The players must be able to hear each other well. The furnishings, seating, and number of listeners are important factors. It is well known that music played in an empty hall sounds quite different than when played to a full audience. What is strived for is the optimal period of resonance, which is specific for each concert hall. The greatest halls from earlier centuries with a volume of 12,000 to 20,000 m^3 show a resonance of 1.7 to 2.05 sec., for example, the Musik-Verein-Saal in Vienna: Volume 14,600 m^3, 1680 seats, period of resonance 2.05 sec. Modern concert halls with a volume of 15,000 to 26,000 m^3 have a period of resonance of 1.45 to 2.00 sec., for example, the Philharmonic hall in Berlin, which has a volume of 22,000 m^3, 3,000 seats, and a period of resonance of 2.00 sec.

Many concert halls have specific characteristics which make them especially suited for a particular type of music. La Scala in Milan (1.2 - 1.4 - 2.0 sec.) and Gewandhaus in Leipzig (2.70 sec.) are examples of this.

---

* In German "Fülleinheit," suggested by Petzold in 1927, is not an exact and internationally accepted measuring unit.

The more instruments in a performing group, the larger the hall required for the performance, which means that the distance between single instruments or instrumental groups and the listeners is quite varied. The ideal situation would be to have the sound emitted from a point which is the same distance from each member of the audience. Since this is impossible, the group should at least attempt to occupy a space which is as unified as possible.

Instruments with a lower intensity of sound are placed in front, closer to the audience. The openings of the resonators as well as the bell mouths of the wind instruments are directed toward the audience. The seating arrangement in large orchestras or instrumental groups is no simple matter. The characteristics of the hall, the size of the performing group, and the instruments involved all play an important role.

The situation for chamber music is quite different. Originally the antithesis of church music, it was performed as "house music" by lay groups in the palaces of the nobility or in the homes of burgher families. The number of members in the performing group as well as the room in which it performed were relatively small, which brought a number of acoustical advantages:

a) The listener is close to the players and thus has direct contact to the music.
b) The period of resonance is relatively short, so that only a short period of time elapses between the originating of a sound and its reflection.
c) A stereophonic effect can be achieved by separating the individual instruments.

In the Baroque period and in earlier classical epochs chamber music was performed in the particularly high, roomy halls of the palaces. Modern halls, which have a volume of about 5,000 m^3 and a seating capacity of 500 to 600 persons, have a period of resonance of 1.00 sec. This makes possible a performance in which the rhythms are distinct and the tone comes through clearly and brilliantly.

The Seating Arrangement of the Woodwind Quintet:

Of the five instruments of the woodwind quintet, the horn and the bassoon have the greatest intensity of sound and are therefore placed at the rear of the group. Moreover, it is disadvantageous for the bassoonist to be seated on the right side. It is better if the clarinet and oboe are next to each other, but this is not an absolute necessity. The flute, which has a low intensity of sound and which takes the role of the leading voice in the ensemble, must be placed in front (concert master position). The most common seating arrangement is a consequence of these rules:

```
                    Horn
        Bassoon          Clarinet
        Flute            Oboe
```

In two other versions the clarinet and the oboe are separated:

```
                  Bassoon
        Oboe             Horn
        Flute            Clarinet
```

or

```
                  Bassoon
        Clarinet         Horn
        Flute            Oboe
```


MUSICAL RECORDINGS

Nowadays it is possible, when recording music, to regulate
the volume of single instruments or groups as well as the total
volume and also to produce resonance artificially, extend or
shorten it. Thus many of the difficulties connected with achiev-
ing the right timbre and intensity disappear.

Experience has shown that the best period of resonance is
dependent less upon the size of the hall than upon the quality
of the music itself. At one time musical recordings were done in
relatively small, deadened rooms with almost no resonance. A
modern recording studio is as large as a concert hall and very
often has seats for an audience.

SOUND SPECTRA AND FORMANTS

Modern acoustics is concerned with the analysis of the complex
tones. The result of this research can be seen in the so-called
sound and tone spectra. These are schematic charts which illustrate
the musical tones. They represent graphically the fundamental and
overtones, frequencies in Hz (Hertz) and the sound energy in dB
(decibels).

In the formation of each tone complex, certain overtones of
relatively great intensity tend to stand out and give the tone
complex the timbre typical to the instrument producing it. These
overtones are called formants.

The vowel sounds of the human voice also have their formants:

Formant o͞o (to͞o) in the frequency range   200 -   400 Hz
Formant ō (gō) ....   400 -   600 Hz
Formant ä (fär) ....   800 -   250 Hz
Formant ā (dāy) .... 1 800 - 2 600 Hz
Formant ē (bē) .... 2 600 - 4 000 Hz

If a musical tone has a sufficiently strong overtone within the frequency range of the formant of a vowel, then it will have the same or a similar timbre as the vowel.

Line spectra:

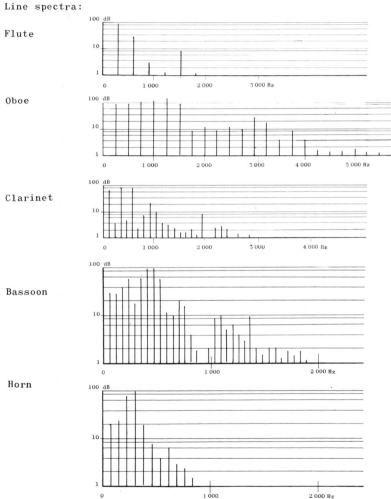

Flute

Oboe

Clarinet

Bassoon

Horn

43

A tone which has been initiated is not heard immediately in its full strength and timbre. A certain period of time (sometimes shorter, sometimes longer) must elapse before all parts of a complex tone reach their full strength and color. The reverse occurs when the tone dies away. The first of these processes can be described as the rising up and the second as the dying away process, and the period of time required in each case can be called the "rise time" and the "dying time."

When the tone is initiated, other sounds (blowing sounds) are produced without which the tone would lose its natural character. There are, furthermore, so-called preliminary tones, which are a product of the high frequencies. The length of a preliminary tone is dependent upon the frequency range, while its strength is determined by the sharpness with which the tone is blown. A sharply blown tone rises up faster than one which is soft. All of these elements in the rising up of a tone influence the character of the tone to an important degree, but within limitations they can be mastered by the player and used to enhance his performance.

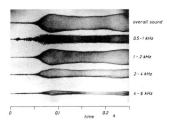

Octave filter oscillograms of the starting transients of an overblown flute note (G6)

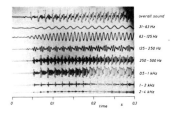

Octave filter oscillograms of the starting transient of a bassoon (played note: B1b).

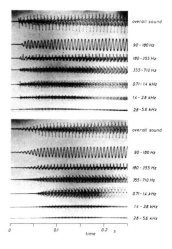

Octave filter oscillograms of the starting transients of a clarinet (played note: D3)
top: staccato attack
bottom: legato tongueing

No musical instrument emits sound energy in all directions with the same intensity. This depends upon the form and structure of the instrument. On any instrument it is possible to find certain points which emit more energy than others, for example, valves, holes, or the bell mouth. The ideal source of energy would be a sphere (breathing sphere) which distributes the energy evenly in all directions. An energy source with any other form can only be treated as spherical when it is very small in comparison with the wavelength of the sound produced. This is true for low frequency tones.

The frequency and the intensity of the sound play important roles here. One speaks of the directional characteristic of the instruments. The hornist holds the instrument close to his body, which causes the sound waves to be bent along the curve of the body. The tipped position of the horn and the fact that the hornist puts his right hand into the bell are both significant for the directional characteristic. Sometimes the hornist is required to play with the bell projected upward. This results in an increase in the number of overtones, which gives a more ringing or even shrill tone.

CHARACTERISTICS OF THE INDIVIDUAL INSTRUMENTS

FLUTE

The tone range of the flute reaches from ca 260 to 6000 Hz. The strongest component of the tone is the fundamental except in the lowest range, where the first overtone dominates. In this case the weakening of the fundamental tone must be compensated for by the player. Otherwise the arrangement of the overtones is quite regular.

The structure of the tone is determined not only by the frequencies of the fundamental with its overtones but also by other sounds which contribute to the characteristic timbre of the instrument. The overtones become weaker in the higher tone range, and in the highest tone complex the odd overtones dominate. The result of this is a lessening of the brilliancy of the tone in the highest range.

The flute is capable of producing a weak pianissimo as well as a glowing fortissimo. The basic tone color is relatively light since the fundamentals are high.

The time required for a tone to rise up to its full strength is longer for the flute than for any other wind instrument. When the tone is initiated, preliminary tones arise as a product of the highest overtones. Their duration lies between 50 and 100 ms (thousands of a second), and their intensity is determined by how sharply the tone is blown. They enhance the clarity of the staccato.

For the flute the formants of a tone are not well-defined and thus not characteristic for this type of instrument.

Main directions of radiation of the flute (0... -3 dB):

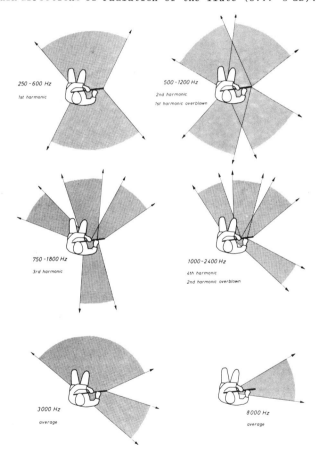

OBOE

The sound spectrum for the oboe is rich in overtones in the range from ca 233 to 12,000 Hz. The strongest overtones lie in the formant range around 1100 Hz, which gives the tone the characteristic quality of the vowel sound "ä" (far). A subformant (500 - 600 Hz) supports the deepest tones and has the tendency to lend the fundamental the quality of "ō" (go). The fundamental for the oboe is quite weak in the lower range. In the range around 2700 Hz there are two formants which appear side by side (on the border between ā and ē) and then other overtones around 4500 and 9,000 Hz, which gives the oboe its brightness of tone. In the lower range the even overtones are stronger than the uneven, giving the tone a particularly open sound.

The timbre of the highest notes is hard and void of expression because the fundamental dominates and few overtones add to the enrichment of the tone color. In pianissimo tone complexes with very few overtones arise. The highest and lowest notes can therefore not be played too softly.

An oboe tone has a very short "rise time" since no noises or other barriers hinder the tone in its development. The entry of the tone is therefore clear and definite. The tones in the lower range have a period of 40 ms, which reduces to 20 ms as the frequency of the tone increases. For this reason the oboe is suitable for a short, quick, and exact staccato. Nevertheless, it is also possible to initiate a tone softly and let it develop. In this case the "rise time" can be extended to 100 ms in the higher range and 40 ms in the lower range.

Main directions of radiation of the oboe (0...-3 dB):

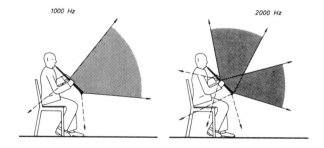

1000 Hz   2000 Hz

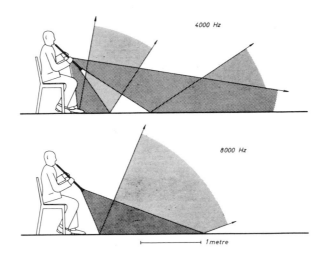

4000 Hz

8000 Hz

1 metre

CLARINET

Three distinct regions can be identified in the sound spectrum
of the clarinet:

- the lower octave, where the odd overtones dominate,
- the middle range, where odd and even overtones are well balanced,
- the higher range, where the even overtones take over the dominant
role.

In the first case the result is the dark and hollow sound of
the clarinet, which makes it suitable for portraying sinister and
mysterious moods. In the higher range, case three above, the fundamental is the strongest component. This is followed by a series
of overtones which show a gradual decrease in intensity. The sound
is full and round. Lucidity and brightness of tone are the result
of an "ē" formant in the range between 3,000 and 4,000 Hz.

Of all the wind instruments the clarinet can produce the soft-
est pianissimo, but it also has a very strong fortissimo. The timbre
varies at different dynamic stages. In the lower range overtones up
to 7,000 Hz appear, in the middle and higher ranges over 12,000 Hz.
This lends to the clarinet great possibilities of expression and a
striking brilliancy of tone. The "rise time" is very short, being
completed after 15 to 20 ms. There are practically no preliminary
tones to the staccato notes. The amplitudes in all regions of the
overtones increase at a steady rate. When the tone is initiated
softly, the "rise time" can be stretched to more than 50 ms.

Main directions of radiation of the clarinet (0... -3 dB):

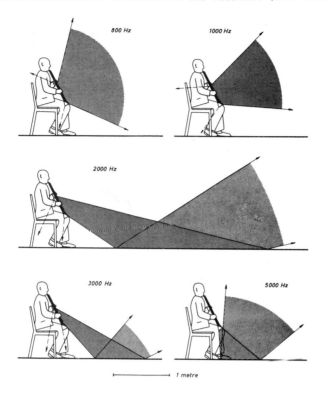

800 Hz

1000 Hz

2000 Hz

3000 Hz

5000 Hz

1 metre

BASSOON

The bassoon, with its imposing tone range, particularly in the deep tones, has a relatively weak lower range. Most of the energy produced appears in the eighth or ninth overtone. This corresponds to the main formant of the instrument at about 500 Hz. This central position and the comparable breadth of the main formant with that of the vowel "ō" lends the tone of the bassoon a color which is similar to that of "ō."

In the once-accented octaves the energy maximum and the second overtone shift to a higher position, which results in a change of tone color to "ä." The upper range is dominated by the fundamental. The timbre is less distinct and nasal qualities become noticeable.

The bassoon has a great many overtones which form a series of secondary formants (1150, 2000, and 3500 Hz). The first of these falls in the range of "ä," which adds to the strength of the timbre.

The upper and middle overtones rise up very quickly (20 ms). For this reason the entry of a tone is very expressive. The lower overtones, on the other hand, require more time but are also low in energy and thus have no effect upon the precision of the initiation.

Main directions of radiation of the bassoon (0... –3 dB):

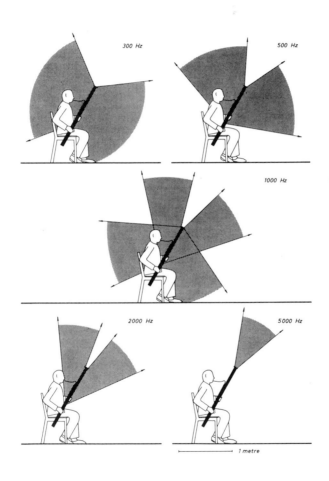

HORN

The formant typical for the horn lies at about 340 Hz and thus belongs in the realm of the vowel "u̅." It gives the horn a round, sonorous sound. Below this formant the strength decreases. The lowest fundamental which can be reached ($B_1 = 62$ Hz) is very weak in comparison with the strongest overtones. The lower frequencies are therefore meaningless for the timbre of the horn. Above the main formant the amplitudes also decrease, but among them are secondary formants which influence the color of the tone, for example at 750 Hz in the range of the vowel "ä," further at 1225, 2000, and 35000 Hz. This series of formants brightens the timbre.

The dynamics is very important for the timbre. As the playing becomes more forceful, the number of overtones which are heard increases, which leads to a richer tone.

Initiated tones begin with a preliminary impulse. This contains overtones under 1000 Hz and lasts 10 to 30 ms according to the sharpness of the embouchure. If several such impulses follow closely upon one another, the result is an undesirable "rrr" in the tone. If the tone develops too slowly, a squeak is heard.

The "rise time" is 20 to 30 ms in the upper and middle ranges and 40 to 80 ms for the lower tones.

There are special ways of playing the horn. When the bell is plugged, the result is a sound which is rough and metallic. The intonation suffers if the horn is played with raised bell without the damping effect of the right hand within it, and the sound becomes hard.

Main directions of radiation of the horn (0... -3 dB):

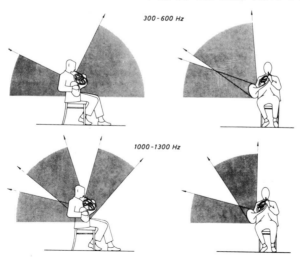

300 - 600 Hz

1000 - 1300 Hz

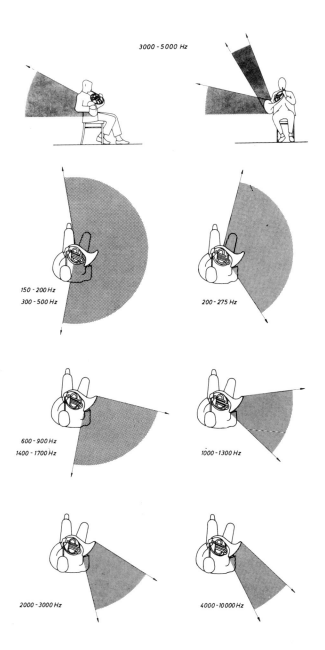

3000 - 5000 Hz

150 - 200 Hz
300 - 500 Hz

200 - 275 Hz

600 - 900 Hz
1400 - 1700 Hz

1000 - 1300 Hz

2000 - 3000 Hz

4000 - 10000 Hz

BIBLIOGRAPHIE DER BLÄSERQUINTETTE
BIBLIOGRAPHY OF WOODWIND QUINTETS

```
Abransky, Alexander    (1898) SU
                       - Concertino                     Muzyka 1929

Absil, Jean            (1893 - 1974) B
                       - Quintett, op. 16, 1934    11'  CBDM 1969
                       - Suite Pastorale, op. 37
                         1939                      7'   CBDM 1969
                       - Danses Bulgares, op. 103       Lemoine 1960

Adler, Samuel          (1928) USA
                       - Intrada for Woodwind Quintet   OUP 1969

Aeschbacher, Walther   (1901 - 1969) CH
                       - Thema, Variationen und Fuge
                         über ein romantisches Weih-
                         nachtslied, 1951           9'  Ms: SMA

Agay, Denes            (1921) USA
                       - Five Easy Dances               Presser 1956

Ahlberg, Gunnar
                       - Impulser, 1972-73    10'30"    Ms: Mozarteum

Ahrendt, Karl
                       - Variegations for Woodwind
                         Quintet                        Pan Pipes 1969

Aitken, Hugh           (1924) USA
                       - Eight Studies                  Elkan 1966

Albam, Manny
                       - Quintet No. 1, 1957            Ms: Library of
                                                        Congress
Albisi, A.
                       - Miniature Suite No. 2          Eble Music

Albrecht, A.
                       - Bläserquintett, 1929           Ms: Prager
                         (Fragment)                     Rundfunk

Albrecht, Georg von    (1891) D
                       - Bläserquintett, op. 74         Rep: Stuttgarter
                                                        Bläserquintett
Album:                 Quintette für Bläser:
                       - J. Jongen: Préambule et
                         Danses, op. 98
                       - C. H. Grimm: A little Serenade,
                         op. 36
                       - J. M. Leclair: Minuet and
                         Hunting Scene (arr.)
                       - F. Liszt: Pastorale (arr.)     Andraud *

Alemann, Edvardo A.
                       - Serenata, 1960                 Ms: Library of
                                                        Congress
Aljabjew, Alexandr A. (1787 - 1851) Russl./Russia
                       - Quintett, c-Moll               Muzyka 1953
```

54

```
Allesandro, Victor
                      - Impromtu, 1932              Ms: Library of
                                                    Congress
Alonso, Bernaola Carmelo  (1929) E
                      - Musica para quinteto de viento,
                        1955                        Ms: SGAE
Altisent, Ceardi Juan        E
                      - El compte Arnaue, Poema lirico  Ms: SGAE
                      - Cuatro piezas breves        Ms: SGAE
                      - Quinteto romantico          Ms: SGAE
                      - Minuetto No. 3              Ms: SGAE
Altmann, Eddo          D
                      - Kleine Tanzsuite            Hofmeister,
                                                    Leipzig 1974
Ambros, Vladimír       (1890 - 1956) CS
                      - Fantasie "Picadilly", 1935  Ms (ČHS I)
Ambrosi, Dante d'      I
                      - Introduzione e allegro      Curci 1963
Ambrosius, Hermann     (1897) D
                      - Quintett op. 57             Hofmeister,
                                                    Leipzig 1974
Ameller, André Ch.     (1912) F
                      - Quintett, 1944              (Riemann,
                                                    Schäffer)
                      - A la Française, Trois pièces
                                            13'30"  Transatlant. 1976
Ames, William          USA
                      - Movement                    ACA 1977
                      - Woodwind Quintet            ACA 1977
Amman, Benno           (1904) CH
                        Bläserquintett, 1956        Ms
Amram, David Werner    (1930) USA
                      - Quintet for Winds, 1968     Peters, N.Y. 1971
                        o: Golden Crest 4125
                           Clarion Wind Quintet
                      - Fanfare and Processional    McGinnis & Marx
Anderberg, Carl-Olof   (1914) S
                      - Quintett                    (Schäffer)
Andergassen, Günther      A
                      - Bläserquintett, 1964        (ORF)
Andersen, Johanes      (1890) DK
                      - Quintet, 1939         23'   Samfundet 1968
Andersen, Karl         (1903) N
                      - Variations over theme and
                        rhytm                7'40"  Ms: NMIC
Anderson, T. J. Jr.    USA
                      - Five Etudes and a Fancy     ACA 1977
```

Andraud, A.	(collection)		
	- 22 Woodwind Quintets		Southern Music
Andraud, Albert			
	- Quintets of Jongen, Grimm, Leclair and Liszt		Andraud *; Southern Music
	- Sixth Collection, 12 Pieces in Quintet Form		Andraud *
Andricu, Mihaïl G.	(1894 - 1974) R		
	- Bläserquintett, op. 77, 1955		(Paclt)
Andriessen, Hendrik	(1892) NL		
	- Quintett, 1951	10'	Donemus 1965
Andriessen, Jurriaan	(1925) NL		
	- Sciarada spagnuola, Divertimento, 1962	8'	Donemus 1965
Angelini, Louis			
	- Quintet		Ms (Wise)
Angerer, Paul	(1927) A		
	- Bläserquintett, 1956		Doblinger 1963
Angulo, Lopez C. M.	(1930) E		
	- Tres invenciones, 1967		Ms: SGAE
Antonini, Alfredo			
	- Twentieth Century Doll		Chappell 1968
ApIvor, Denis	(1916) IRL		
	- Woodwind Quintet, 1961		(Riemann)
Apkalns, Longins			
	- Rondo Straro, 1971		Ms, Rep: Phoenix Woodwind Quintet
Arányi, György	(1923) H		
	- Bläserquintett, 1963		(Paclt)
Ardévol, José	(1911) C		
	- Quintet, 1957		Ms: N.Y. Public Library
Arma, Paul	(1905) H / F		
	- Quintette à vent, 1967		Lemoine 1969
Arne, Thomas	(1710 - 1778) England		
	- Suite of Dances (arr. Collins)	9'15"	Skidmore 1946
Arnell, Richard	(1917) England		
	- Cassation F major, op. 45		Peters 1961
Arnold, Malcolm	(1921) England		
	- Three Shanties o: Argo 5326 London Wind Quintet		Paterson 1954
Arrieu, Claude	(1903) F		
	- Quintette Do majeur	11'	Noël 1954 / Billaudot

Aruntjunjan, Alexandr G.   (1920) Armenien / SU
                        - Concertino, 1964   (Riemann)
Aschaffenburg, Walter   (1927) USA
                        - Quintet, op. 16   Ms: Library of
                                                       Congress
Aschenbrenner, Johannes   (1903 - 1964)
                        - Quintett, 1955   24'   Modern 1965
Ásgeirsson, Jón   (1928) IS
                        - Woodwind Quintet, 1969   Iceland Music
Ashton, Algernon B. L.   (1859 - 1937) England
                        - Quintet   (Paclt)
Avni, Tzvi   (1927) IL
                        - Quintet, 1966   Mills 1966
Axman, Emil   (1887 - 1949) CS
                        - Bläserquintett, 1938   ČHF
Ayres, Thomas
                        - March   Ms: Univ.of Iowa

Baaren, Kees van   (1906 - 1970) NL
                        - Quintetto a fiati, 1963
                        "Sovraposizioni II   11'   Donemus 1968
                        o: DAVS
Bacewiczowna, Grażyna   (1913 - 1973) PL
                        - Quintett, 1932   25'   PWM 1965
Bach, Johann Christian   (1735 - 1782) D
                        - Allegretto Piacevole
                        (arr. Maganini)   Fischer
                        - Quintetto No. 3 (arr. Maros) EMB 1967
                        - Rondo B-Dur (arr. Maros)   EMB
                        o: Phoenix Woodwind Quintet
Bach, Johann Christoph   (1642 - 1703) D
                        - Allegro Brillante
                        (arr. Maganini)   Fischer
                        - Sinfonia No. 1 (arr. Jones) Presser 1968
Bach, Johann Sebastian   (1685 - 1750) D
                        - Badinerie (arr.)   Ditson 1941
                        - Bourée (Ouverture No. 3) in D
                        BWV 1068 (arr. Orel)   Presser 1967
                        - Bourée and Sarabande
                        (arr. Mickens)   Boosey 1967
                        - 2 Fugues (arr. Catelinet)   Hinrichsen 1967
                        - Fugue c minor (arr. Hirsch) Presser 1967
                        - Präludium und Fuge XXII
                        d minor (arr. Nagakawa)   AMP 1965
                        - Präludium und Fuge (Wohltemp.
                        Klavier 1/4, d-Moll
                        (arr. Kreisler)   Southern 1966
                        - Sarabande aus der Franz. Suite
                        Nr. 1, d-Moll (arr. Henschel) Boosey 1964

- Three Chorale Preludes
  (arr. Brearley)   Novello 1969
- Kleine Fuge, g-Moll
  (arr. Stevens)   Bright Star 1973
- Fugue in C (or B) (arr. Hirsch) Ditson 1937
- Fugue in E flat major
  (arr. Hirsch)   McGinnis & Marx
- Sarabande in d minor (1st French
  Suite) (arr. Finney)   Boosey & Hawkes
- Sarabande and Gavotte
  (arr. Gordon)   Fischer 1970
- Prelude, Cantata 106
  (arr. Gordon)   Southern Music
- Prelude and Fugue, G major
  (arr. Rosenthal)   Western 1969
- Prelude and Fugue, c minor
  (arr. Rosenthal)   Artransa
- Prelude and Fugue, e minor
  (arr. Rosenthal)   Artransa 1966
- Prelude and Fugue, D major
  (arr. Cantrell)   Scott
- Minuet and Haydn Finale (arr.) McGinnis & Marx
- Kleines Harmonisches Labyrinth
  (arr. Taylor)   10'   Southern Music
- Chorale Prelude "Christe, du
  Lamm Gottes" (arr. Taylor)2'   Southern Music
- Sinfonia in b minor
  (arr. Taylor)   8'   Southern Music
- Suite, c minor
  (arr. Taylor)   15'   Southern Music
- Giant Fugue "Wir Glauben All"
  (arr. Taylor)   5'   Southern Music
- Präludium und Fuge, cis-Moll,   Ms, Rep: Aulos
  BWV 849 (arr. Renz)   Bläserquintett
- Präludium und Fuge, b-Moll,   Ms, Rep: Aulos
  BWV 867 (arr. Renz)   Bläserquintett
- Concerti (arr. Rechtman)   Ms, Rep: Israel
                                         Woodwind Quintet
- Choral Preludes (arr. Rechtman)Ms, Rep: Israel
                                         Woodwind Quintet
- Fugues (arr. Rechtman)   Ms, Rep: Israel
                                         Woodwind Quintet
- Fugue in a minor (arr. Weait)
  o: Kaibala Records 20 B 01
     Phoenix Woodwind Quintet
- Goldberg Variations   Ms, Rep: Dorian
  (arr. Brant)   Woodwind Quintet

Bäck, Sven-Erik   (1919) S
                    - Bläserquintett   (Schäffer)

Backes, Lotte   (1902) D
                    - Fantasia pittoresca   Ms: Bayer. Staats-
                                                        bibl. München

```
Baden, Conrad          (1908) N
                       - Bläserquintett, 1965        15'   NMIC 1975
Badings, Henk          (1907) NL
                       - Quintett Nr. 1, 1929        15'   Donemus 1929/65
                       - Quintett Nr. 2, 1948        26'   Donemus 1949/65
Badinski, Nikolai      (1937) BG / D
                       - Moskauer Bläserquintett, 1969
                         "positionen"                      DVfM 1976
Baervoets, Raymond     (1930) B
                       - Bläserquintett, 1950             (Paclt)
                       - Pièce, 1958              5'15"   CBDM 1969
Baeyens, August L.     (1895 - 1966) B
                       - Quintett, 1950             18'   CBDM 1962
Bagin, P.              (1933) CS
                       - Bläserquintett und Aquarellen
                         für 5 Bläser                     SHF
Bahk, Junsang
                       - Echo für Bläserquintett 16'35" Peters, Frankfurt
Bakaleinikow, Vladimir  (1885 - 1953) Russl./ Russia
                       - Introduction und Scherzo         Belwin 1939
Baker, Michael         CDN
                       - Woodwind Quintet                 Ms: CMC
Baksa, Robert F.
                       - Divertimento, 1959              Ms: Library of
                                                          Congress
Balassa, Sándor        (1935) H
                       - Bläserquintett, op. 9, 1966      EMB 1971
Balay, Guillaume       (1871 - 1943) F
                       - Petite suite miniature dans le
                         style du XVII siècle             Leduc 1948
                       - L'aurore sur la forêt            Leduc 1935
                       - Menuett und Rondo (arr. Waln)    Kjos 1967
                       - La vallée silencieuse,
                         Rêverie                          Leduc 1935
Balázs, Á.             H
                       - Serenata per quintetto a fiati  EMB 1976
Balcar, Milan          (1886 - 1954) CS
                       - Frenštáts Idyll, op. 31, 1941   (Kratochvíl)
                       - Tanz-Suite, op. 37, 1943        (Kratochvíl)
Balfe, Manfred         (1914) S
                       - Quintett, op. 2, 1954           Ms: STIM 1976
Ballard, Louis W.                                        (Music Educat.
                       - Ritmo Indio                     Journal, Feb. 1970)
Ballif, Claude         (1924) F
                       - Quintette, op. 10               Bote & Bock
```

Balmer, Luc	(1898) CH
	- Pauvre Jacques, 1959 7'25" Ms: SMA
	- Die Landshuter Froschserenade,
	1968 20' Ms: SMA
	- Die poetische Bratwurst 14' Ms: SMA
Bamert, Matthias	(1942) CH
	- Quintette à vent 67, 1967 8' Schirmer
Barab, Symour	
	- Quintet, 1954 (Peters)
Baran, Ilhan	(1934) TR
	- Demet-Suite Ankara Devlet
	Konserv. 1973
Barati, George	(1913) H / USA
	- Quintet, 1953 McGinnis & Marx
Barber, Samuel	(1910) USA
	- Summer Music, op. 31, 1956 11' Simrock /
	Schirmer 1957
	o: Can. Disc. 216
	New York Woodwind Quintet
	o: Col ML-5441, MS-6114
	Philadelphia Woodwind Quintet
	o: Opus 9111 0497
	Bläserquintett aus Bratislava
Barboteu, Georges	(1924) F
	- Prélude et Divertissement
	1951-52 Choudens 1966
	- Caricatures, Trois pièces Choudens 1966
Barce, Ramón	(1928) E
	- Parábola, op. 22, 1963 (Riemann)
Bargiel,	
	- Meditation (arr. Harris) Fischer 1970
Barock Musik	- 24 Werke Barocker Meister
	(arr. Kesztler-Kovács) EMB 1970
Barraine, Elsa	(1910) F
	- Ouvrage de Dame, 1937 Andraud 1944
Barraud, Henri	(1900) F
	- Concertino Soc. Ed. Mus. Int.
Barrows, John R.	(1913) USA
	- March Schirmer 1950
	- Quintet, 1936 23' (Reis)
Bárta, Jiří	(1935) CS
	- Bläserquintett, 1959 ČHF 1971
Bárta, Lubor	(1928 - 1972) CS
	- Divertimento, 1950 ČHF
	- Bläserquintett, 1956 ČHF
	- Bläserquintett Nr. 2, 1969 ČHF 1971
	o: Supraphon 1 11 1426, Prager Bläserquintett

Barthe, Adrien
- Aubade   Pinatel 1893; Andraud*
- Passacaille   Leduc 1899;
                                      Andraud *; Rubank;
                                        Southern Music

Bartoš, František   (1905 - 1973) CS
- Suite "Der Bürger als Edel-
  mann", 1934   13'   HM 1948
- Scherzo, 1932   HM 1943
- Divertimento   Artia 1950
- Suite "Frauenschule"   Ms (ČHS)

Bartoš, Jan Zdeněk   (1908) CS
- Vier alte französische Tänze,
  op. 7, 1935   (Kratochvíl)
- Thema mit Variationen, op. 11,
  1936   (Schäffer)
- Bläserquintett Nr. 3, op. 42,
  1946-63   Continental

Bartoš, Josef   (1902 - 1966) CS
- Studentenserenade, op. 29, 1950 ČHF
- Zum Üben, op. 32, 1952   ČHF
- Bläserquintett, op. 34, 1955 Ms (ČHS I)
- Kassationen, op. 45, 1961   ČHF

Bartovic, Peter   (1947) CS
- Variationen über ein Beethoven-
  Thema für Bläserquintett   (Prager Rundfunk
  o: Opus   1975)

Bass, Eddie
- Woodwind Quintet, No. 1   ASCAP

Bassett, Leslie   (1923) USA
- Woodwind Quintet, 1958   ACA 1977

Bauer, Marian   (1887 - 1955) USA
- Quintet, op. 48   ACA 1977
- Six Little Fugues   ACA 1977

Baum, Alfred
- Divertimento   15'   Ms: SMA

Baumann, Max   (1917) D
- Kleine Kammermusik, op. 11 Sirius 1937

Baur, Jürg   (1918) D
- Quintetto Sereno, 1958   Breitkopf &
  o: Wergo 70001   Härtel 1959
  Bläserquintett des Südwestfunks
- Skizzen für Bläserquintett Breitkopf &
                           Härtel 1975

Bavicchi, John   (1922) USA
- Woodwind Quintet No. 1, op. 43,
  1961   20'   BKJ
- Woodwind Quintet No. 2, op. 58,
  1968   5'   Seesaw

```
                      - Woodwind Quintet No. 3, op. 64,
                        1973                    12'  BKJ
                      - Prelude, Fugue and Coda      Seesaw 1966
Bayer-Vetessy, George  (1923)
                      - Serenade                     Modern
Beach, H. H. A.        (1867 - 1945) USA
                      - Pastorale                    Comp. Press 1942
Beck, Conrad           (1901) CH
                      - "Trauert, alle Menschen,
                        trauert", Volkslied  1'30"  Ms: SMA
Beck, Frederick
                      - Two Movements                (Peters)
Beck, Jochen
                      - Quintett                     Möseler
Becker, Günther        (1924) D
                      - Serpentinata, 1968      12'  Gerig 1968/76
Beckerath, Alfred v.   (1901 - 1978) D
                      - Divertimento II, 1952        Ms (Brüchle)
Bedford, David         (1937) England
                      - Five, 1965                   UE 1969
                      - Pentomino, 1968         13'  UE 1969
Bedřich, Jan           (1932) CS
                      - Bläserquintett, 1956         (Gardavský)
Beekhuis, Hanna        (1889) NL
                      - Quintett, 1935               Donemus 1965
                      - Elegie en Humoreske, 1939  6'  Donemus 1965
Beethoven, Ludwig van  (1770 - 1827) D
                      - Adagio und Allegro (arr. Vester) Mills 1966
                      - Quintett nach dem Sextett,
                        op. 71, Es-Dur, 1796 (arr. Stark) Benjamin 1966
                        o: PICK 93095, Stalder Quintett
                        o: ML 5093, Philadelphia
                           Woodwind Quintet
                      - Adagio and Minuetto
                        (arr. Trinkhaus)             McGinnis & Marx
                      - Bagatelle, op. 119, Nr. 1
                        (arr. Brearley)              Novello 1968
                      - Country Dance, No. 1
                        (arr. DeBueris)              Fischer 1970
                      - Divertimento, op. 12, No. 2
                        (arr. Trinkhaus)             Witmark 1933
                      - Five Pieces for Mechanical
                        Organ (arr. Skowronek)  16'  OUP 1973
                      - Gavotte in F (arr. DeBueris)  Fischer 1970
                      - Larghetto, Symph. No. 2
                        (arr. Cheyette-Roberts)      Fischer 1935
                      - Larghetto and Londonderry Air
                        (arr. DeBueris)              McGinnis & Marx
```

- Minuet, Andante and Variations (arr. van Emerik)	Southern Music
- Piano Sonata, op. 49, No. 19 (arr. Scott)	Waterloo
- Quintet from Sextet op. 71 (arr. Nakagawa)	Ms: Library of Congress
- Rondo in F from Piano Sonata op. 10, No. 2 (arr. Taylor)	Fischer 1970
- Rondo in F from Piano Sonata op. 10, No. 3 (arr. Taylor)	Fischer 1970
- Variations, op. 18, No. 5 (arr. Andraud)	Southern Music
- Variationen aus Mozarts "Don Giovanni" (arr. Bellison)	Ricordi
- Variations on "La Ci Davem" (arr. Bellison)	McGinnis & Marx
- Sonate, op. 81a, Nr. 26, Es-Dur (arr. Renz)	Ms, Rep: Aulos Bläserquintett
- Sonate, op.101, Nr. 28, A-Dur (arr. Renz)	Ms, Rep: Aulos Bläserquintett
- Oktett, op. 103, Es-Dur (arr. Thornton)	Southern 1975
- dito (arr. Renz)	Ms, Rep: Aulos Bläserquintett
- Divertimento, G-Dur, Sonatine für Klavier Nr. 1 und 2 (arr.)	Ms, Rep: Tuckwell Quintet

Beglarian, Grant   (1927) USA
- Woodwind Quintet, 1966   Pan Pipes

Behrend, Fritz   (1889) D
- Divertimento, op. 104   Selbstverlag

Belfiore, Turi
- Quintet   (Vester)

Bell, Randy
- ML - Moods of Life   Seesaw 1966

Benguerel, Xavier   (1931) E
- Successions, 1960   Modern

Benjamin, Arthur   (1893 - 1960) AUS
- Divertimento, 1960   (Paclt)

Bennet, David
- Rhapsodette   Fischer 1940

Bennet, Robert Russell (1894) USA
- Toy Symphony, 1928   (Schäffer)
- Dance Scherzo, 1937   Ms: AMC

Bennett, Richard Rodney (1936) England
- Wind Quintet, 1968   15'   UE 1968/72

Benson, Warren   (1924) USA
- March   Shawnee 1964
   o: GC S-4 075, American Woodwind Quintet

Bentzon, Jørgen	(1897 - 1951) DK	
	- Racconto Nr. 5, op. 46, 1945	Skand. Musikforlag
	- Suite, op. 11	Skand. Musikforlag
Benzon, Siegfried	(Anfang 19. Jh./Early 19th century)	
	- Quintett, op. 11, Es-Dur	Dt. Staatsbibl. Berlin
Berezowsky, Nikolai	(1900 - 1953) USA	
	- Quintett No. 1, 1930	Muzyka
	- Suite No. 1, op. 11, 1928 30'	Boosey, N.Y.
	o: Classic Ed. 1003	
	New Arts Wind Quintet	
	o: GC S-4075	
	- Suite No. 2, op. 22, 1937	Mills 1941
Berg, Gunnar	(1909) DK	
	- Pour quintette à vent, 1962	Ms (Copenhagen)
Berg, Josef	(1927 - 1971) CS	
	- Fünf Fugen für Bläserquintett, 1957	(Gardavský)
Berge, Sigurd	(1929) N	
	- Four Norwegian Folk Tunes 8'	NMIC
	- Yang Guan for wind quintet, 1967 7'	Norsk 1970
	o: Philips 6507 018	
	- Wind Quintet for Youth 8'30"	NMIC
Berger, Jean	(1909) D	
	- 6 kleine Stücke	Zimmermann 1962
Bergmann, Walter	(1902) A	
	- Musik für Bläserquintett, 1961	Doblinger 1966
	- Tanzstück	Doblinger
Bergsma, William	(1921) USA	
	- Concerto, 1958	Galaxy 1960
	o: GC S-4076	
	Clarion Quintet	
	- Two Diversions, 1939	(Peters)
Berkowitz, Leonard		
	- Quintet, 1966	Ms: San Fern.
Berlioz, Hector	(1803 - 1869) F	
	- Serenade to the Madonna (arr. Taylor)	Southern Music
Berthold, Hermann	(1819 - 1879) D	
	- Quintettino	Peters, Leipzig 1973
Bertouille, Gérard	(1898) B	
	- Quintette à vent, 1969	CBDM 1972
Besozzi, Carlo	(1738 - 1791) I	
	- Parthia in D (Sonate Nr. 11) (arr. Nimetz) 11'	Leuckart 1973
	- Sonate Nr. 20 (arr. Nimetz) 9'	Leuckart 1973

	- Sonate Nr. 23 (arr. Nimetz) 9'		Leuckart 1973
Beveridge, Thomas	USA		
	- Six Bagatelles, 1964		Ms: Michigan
			State Univ.
Beversdorf, Thomas	(1924)		
	- Prelude and Fugue		Ms: Univ. of Ind.
Beyer, Frank Michael	(1928) D		
	- Bläserquintett, 1972		Bote & Bock 1974
Beythien, Kurt			
	- Quintett F-Dur, op. 7, 1925		Selbstverlag,
			Dresden
Bezanson, Philip	(1916) USA		
	- Homage to Great Americans		ACA 1977
	- Quintet		ACA
Bibalo, Antonio Gino	(1922) N		
	- Sonatina I, 1971	10'	Hansen
	- Sonatina II, 1972	11'	Hansen
Bieler, Helmut	D		
	- Musik für fünf, 1974		(Bayer. Rundf.)
Birtwistle, Harrison	(1934) England		
	- Refrains and Choruses, 1957		UE 1961/66
Bissell, Keith	(1912) CDN		
	- Suite Populaire		Boosey 1966
Bitsch, Marcel	(1921) F		
	- Sonatine		Leduc 1955
Bizet, Georges	(1838 - 1875) F		
	- Quintet from "Carmen"		
	(arr. Elkan)		Fischer 1970
	- Quintet from "Carmen"		
	(arr. Cheyette and Roberts)		McGinnis & Marx
	- Minuetto		
	(arr. Cheyette and Roberts)		McGinnis & Marx
	- Minuetto from Second		
	L'Arlesienne Suite		
	(arr. Holmes)		Fischer
	- L'Arlesienne Suite		
	(arr. Lovelock)		Ms, Rep: Adelaide
	o: HMV OASD 7570		Wind Quintet
	Adelaide Wind Quintet		
Bjelik, Martin	(1940) A		
	- Autogramm, langsamer Satz für		
	Bläserquintett		Doblinger
	- Mobile		Doblinger
	- Kammermusik 70		Doblinger
Björklund, Staffan	(1944) S		
	- Pastorale, 1970	5'	Ms: STIM 1976

```
Blackwood, Easley      (1933) USA
                       - Quintet                      Schirmer 1960
                       - Pastorale and Variations, 1961 (Riemann)

Bláha, Ivo             (1936) CS
                       - Frühlingsspiele, Suite, 1962  ČHF
                       o: Panton, Bläserquintett des
                       Nationaltheaters Prag

Blank, Allan           USA
                       - Woodwind Quintet             Seesaw 1966

Blanqueur, Ponsada Amando      E
                       - Quinteto para instr. de viento,
                       1959                       10'  Ms: SGAE

Blatný, Pavel          (1931) CS
                       - Dreiteiliger Satz, 1959  12'  ČHF
                       - Bläserquintett "2:3"          Rep: Prager
                                                       Bläserquintett
Blažek, Zdeněk         (1905) CS
                       - Bläserquintett, op. 110, 1971 Ms, Rep: Foerster
                                                       Bläserquintett
Bloch, Waldemar        (1906) A
                       - Serenade, 1966               Doblinger

Blum, Robert           (1900) CH
                       - Concerto, 1961            15' Selbstverlag
                       - Stationen, 1966-67        25' Ms: SMA

Blumenfeld, Harold     (1923) USA
                       - Expansions, 1964             MCA 1969

Blumer, Theodor        (1881 - 1964) D
                       - Serenade und Thema mit
                       Variationen, op. 34           Benjamin 1966
                       - Quintett, op. 52, B-Dur     Zimmermann 1967
                       - Tanz-Suite, op. 53, D-Dur   Benjamin 1966
                       - Kinderspielzeug, op. 64     Zimmermann
                       - Schweizer Quintett       22' Sikorski 1953

Boccherini, Luigi      (1743 - 1805) I
                       - Menuet (arr.)                Fischer 1970

Bodenstein, Hermann    D
                       - Quintett in drei Sätzen, 1969 (Brüchle)

Boder, Gerd            (1933) D
                       - 1. Bläserquintett op. 8, 1961 Ms
                       - 2. Bläserquintett           Ms

Boedijn, Gerard H.     (1893) NL
                       - Kwintet concertante, op. 150
                       1957                       13' Donemus 1957

Böhme, Oskar           D
                       - Fantasie über russische Volks-
                       klänge, op. 45                 Rühle & Wendling
```

66

```
Bois, Rob du          (1934) NL
                      - Chants et Contrepoints
                        1962                    16'   Donemus 1965
                      - Reflexions, 1969              Donemus 1972

Boisdeffre, Charles-Henri-René de (1838 - 1906) F
                      - Scherzo from Sextuor, op. 49
                        (arr.)                         Fischer 1970

Bokes, Vladimir       (1946) CS
                      - Bläserquintett, op. 11        SHF 1972

Bon, Willem Frederik (1940) NL
                      - Quintett Nr. 1, op. 13, 1967
                        o: DAVS                 15'   Donemus 1972
                      - Quintett Nr. 2, op. 26, 1969  Donemus 1970

Bone-Kloss, Marilyn USA
                      - Five Pieces, 1968        6'   Published by
                                                      the author
Bongartz, H.          (1894)
                      - Suite No. 11                  (Gregory)

Bonsel, Adriaan       (1918) NL
                      - Quintett Nr. 1, 1949     14'  Donemus 1965
                      - Quintett Nr. 2, 1953     14'  Donemus 1965

Bonvin, Ludwig
                      - Romanza, op. 19 c             Breitkopf *

Booren, Jo van den    (1935) NL
                      - Spectra, 1967                 Donemus 1968

Borch, Gaston         (1871 - 1926) F
                      - Sunrise on the Mountains      Belwin
                      - Quintet No. 2                 De Wolfe

Bořkovec, Pavel       (1894 - 1972) CS
                      - Quintett, 1932          15'   ČHF 1960

Bornefeld, Helmut     (1906) D
                      - Bläserquintett                Rep: Stuttgarter
                                                      Bläserquintett
Borodin, Alexander P. (1834 - 1887) Russl./Russia
                      - Chorus of the Villagers from
                        "Prince Igor" (arr. Hirsch)   Presser 1938

Borowski, Felix       (1872 - 1956) PL / USA
                      - Madrigal à la Lune            Boosey 1966

Borris, Siegfried     (1906) D
                      - Quintett, op. 25/2            Sirius

Bosmans, Arthur       (1908) B
                      - Diabelliana                   Benjamin 1966

Bossler, Kurt         (1911 - 1976) D
                      - Quintett, 1967-68             Ms
                        o: FSM 53 5 10
                           Bonner Bläser-Kammermusik - Vereinigung
                      - Quintett, 1940          12'   Astoria 1968
```

67

```
Bostelman, Otto
                      - Quintet, 1967              Ms: Library of
                                                   Congress
Bottje, Will Gay      (1925) USA
                      - Quintet No. 1             Ms: U. of S. Ill.
                      - Quintet No. 2             ACA
Bourguignon, Francis de (1890 - 1961) B
                      - Deux Pièces, op. 71, 1941  7'  CBDM 1962
Bowden, Robert C.
                      - Quinx, 1967               Ms: Library of
                                                   Congress
Bowder, Jerry
                      - Quintet for Winds         Pyraminx
                      - Sonatina I                Ms: Library of
                                                   Congress
Bowen, York           (1884 - 1961) England
                      - Debutante, Frolic, Burlesque  De Wolfe
Bozay, Attila         (1939) H
                      - Quintett, op. 6, 1962     EMB 1967
Božič, Darjan         (1933) YU
                      - Polyrhithmia, 1968        (Paclt)
Bozza, Eugène         (1905) F
                      - Variations sur un thème libre,
                        op. 42                    Leduc 1943
                        o: Lond. LL-734
                           Copenhagen Wind Quintet
                      - Scherzo, op. 48           Leduc 1967
                        o: Col. ML-5093
                           Philadelphia Woodwind Quintet
                        o: Chr SCGLP 75 867
                           Bläserquintett des SWF
                        o: Turn. 34507, Dorian Quintet
                        o: Supraphon DM 5741 C
                           Bläserquintett der Tschech. Philh.
                      - Pentaphonie               Leduc 1969
Brahms, Johannes      (1833 - 1897) D
                      - Cradle Song (arr. Huffnagh)  Gornston 1947
                      - Capriccio (arr. Rosenthal)   Western
Brant, Henry D.       (1913) USA
                      - Requiem in Summer         ACA
Bravničar, Matija     (1897) YU
                      - Quatre pièces, 1968       DSS 1971
                      - Bläserquintett Nr. 1, 1930  (Paclt)
Bražinskas, A.        SU
                      - Bläserquintett            ČHF
Bredow, Edgar         (1913) D
                      - Fränkische Serenade       Benjamin 1968
                      - Quintettino               Benjamin 1975
                      - 5 Aphorismen              Benjamin 1977
```

68

Brehm, Alvin	(1925)	
	- Divertimento, 1965	(Peters)
Brehme, Hans L. W.	(1904 - 1957) D	
	- Quintett	(Rasmussen)
Brenta, Gaston	(1902 - 1969) B	
	- Le Soldat Fanfaron, 1952 10'	Metropolis
	o: Alpha DB 47	
	Quintette à vent de Bruxelles	
Brescia, Domenico		
	- Dithyrambic Suite	(Vester)
	- Rhapsody, Second Suite	Ms: Library of
Bresgen, Cesar	(1913) A	Congress
	- Salzburger Divertimento	Doblinger 1970
Breuer, K. G.		
	- Atonalyse II	Sikorski
Brevik, Tore	(1932) N	
	- Divertimento, 1964 11'	Sikorski 1965
Briccetti, Thomas B.	(1936)	
	- Three Character Sketches, 1961	Cont. Mus. Proj.
Briccialdi, Giulio	(1818 - 1881) I	
	- Quintuor, D-Dur, op. 124	Schott 1875
Bridge, Frank	(1879 - 1941) England	
	- Divertimenti	Boosey & Hawkes
Bright, Houston	(1916) USA	
	- Three Short Dances	Shawnee 1961
	o: GC S-4075	
	- Quintet for Woodwinds	Ms: W. Texas Coll.
Brings, Allen		
	- Suite for Wind Quintet	Seesaw 1966
Britain, Radie		
	- A Woodwind Quintet	Pan Pipes 1970
	- Four Sarabandes for Wind Quintet	Seesaw 1966
Brod, Henri	(1799 - 1839) F	
	- 3 Quintette, op. 2, Es-Dur,	
	F-Dur, C-Dur	McGinnis 1960
	- Quintett, op. 2/1 (Schuller)	Hofmeister 1963
	- Quintett, op. 3/1 (Schuller)	McGinnis & Marx
Brons, Carel	(1931) NL	
	- Quintett Nr. 1, 1949	Donemus
	- Balleto, 1961	Donemus 1965
	- Mutazione, 1964	Donemus 1965
Brouwer, Leo	(1939) C	
	- El reino de este mundo, 1968	(Riemann)
Brown, Charles	(1898) F	
	- Quintette	Choudens 1967

Brown, Christopher
- Divertimento   Gamut 1965

Brown, Newel Kay   (1932)
- Quintet, 1969   Ms: Henderson

Brož, František   (1896 - 1962) CS
- Bläserquintett, op. 15, 1944   (Kratochvíl)

Brubeck, Howard   (1916)
- Quintet   Derry

Brüggemann, Kurt   (1908) D
- Divertimento   Ms

Brugk, Hans-Melchior (1909) D
- Serenade, op. 22, Es-Dur
  1955   16'   Sikorski 1966

Brumby, Colin   (1933) AUS
- Wind Quintet, 1966   15'   Elder, 1966

Brunmayer, Andreas   (1803) A
- Six Quintets   (Fétis)

Bruns, Victor   (1904) D
- Quintett, op. 16   Hofmeister 1963

Brustad, Bjarne   (1895) N
- Serenade for Wind Quintet 14'30" (Brüchle)

Buchanan, Gary Robert
- Sweets   Galaxy 1975

Buck, Ole
- Signes, 1967   Hansen 1975

Buckborough, James L.
- Sonatina   Gamble 1938

Buczynski, Walter J. (1933) CDN
- Suite, op. 13, 1955   CMC

Bueche,
- Woodwind Holiday   Bourne

Buenaventura, Antonio (1904) PI
- Quintett, 1970   (Riemann)

Bulis, Jiři   (1946) CS
- Tod des Sperlings   ČHF

Bull, John   (ca. 1562 - 1628) England
- "The King's Hunting Jigg",
  Preludio e Canzione
  (arr. Van de Moortel)   Elkan 1976

Buononcini,
- Rondeau, op. 166   McGinnis & Marx

Burghauser, Jarmil   (1921) CS
- 4 Bläserquintette in D, A, G, C (Schäffer)

```
Burian, Emil František (1904-1955) CS
                  - Variationen über ein Volks-
                    lied, 1928                    Ms (ČHS I)
                  - Vier Stücke für Bläserquintett,
                    1929                          (Gardavský)
                  - Quintett, 1943               Orbis 1951

Burtch, Mervin    Wales
                  - 5 Bagatelles                 Ms

Bush, Geoffrey
                  - Quintet, 1963                Galaxy 1975

Butt, James       (1929) England
                  - Winsome's Folly-Suite No. 2  Novello 1960

Butting, Max      (1888) D
                  - Ein Spiel für fünf Bläser,
                    op. 30, 1925                 IMB/Bärenreiter
                  - Vier Sätze, op. 101, 1962    IMB/Bärenreiter

Byers, L. J.
                  - Suite                        (Houser)

Cacavas, John
                  - Windette                     Fox 1960

Cage, John        (1912) USA
                  - Music for Wind Instruments, 1938 Peters 1961

Cailliet, Lucien  (1891) F
                  - Concertino                   Benjamin 1966
                  - Ouverture B flat major       Elkan 1950

Calabro, Louis    (1926) USA
                  - Divertimento                 Elkan 1966

Callhoff, H.
                  - Bläserquintett               Gerig

Camargo Guarnieri, Mozart (1907) BR
                  - Quintet, 1931                (Rasmussen)

Cambini, Giovanni Giuseppe (1746-1825) I
                  - 3 Quintets, op. 4, ca. 1810  McGinnis & Marx
                    o: Coro S-1408 (Quintet No. 3)
                       Oberlin Quintet
                    o: CSP CMS-6799 (Quintet No. 3)
                       Philadelphia Ww. Quintet
                    o: Rav. 701 (Quintet No. 3)
                       Soni Ventorum Wind Quintet
                  - Bläserquintett Nr. 2, d-Moll
                    (Sirker)              23'    Leuckart 1973
                  - dito (Marx)                  McGinnis & Marx

Cammarota, Carlo  (1909) I
                  - Introduzione, Fuga cromatica
                    e Finale                     Bongiovanni 1960
```

Campo, Frank P.   (1929) USA
                      - Five Pieces for Five Winds,
                      1958   14'40"   Pillin 1973
                      o: WIM 9, Philadelphia Woodwind Quintet

Cano, Francisco   E
                      - Diferencias agogicas, 1969   Ms: SGAE

Cantrell, Byron (arr.) USA
                      - Four Elizabethan Pieces
                      (Bull, Byrd, Byrd, Gibbons)
                                              9'14"   Western 1970

Caplet, André   (1879 - 1925) F
                      - Suite persane   (Rasmussen)

Carabella, Ezio   (1891 - 1964) I
                      - Suite   Ricordi 1935

Carion, Fernand   (1908 - 1960) B
                      - Fantasie Concertante   Brogneaux 1951

Carlstedt, Jan   (1926) S
                      - Symphonia, 1959   18' STIM
                      - Quintet, op. 19, 1962   9'30" STIM 1976
                      - Pentastomos, op. 27,
                      1972-73   15'30" STIM 1976

Carreño, Inocente   (1919) ZA
                      - Quinteto   16' Peer 1976

Carter, Elliott   (1908) USA
                      - Woodwind Quintet, 1948   12' AMP 1955
                      o: Can. 31016, Dorian Quintet
                      o: 3-RCA LSC-6167
                         Dwyer, Gomberg, Cioffi, Walt, Stagliano
                      o: Classic Ed. 2003
                         New Art Wind Quintet

Carwithen, Doreen   (1922)
                      - Quintet   (Gregory)

Casanova, André   (1919) F
                      - 4 Bagatelles, op. 11, 1955   (Paris 1955)

Castérède, Jacques   (1926) F
                      - Quintette   Leduc 1955

Castro, Washington   (1909) RA
                      - Musica de primavera, 1952   (Riemann)
                      - 4 Stücke, 1969   (Riemann)

Cavadini, Claudio   CH
                      - Suite II, 1962   9' Ms: SMA

Cazden, Norman   (1914) USA
                      - Three Constructions, op. 38,
                      1941   Kalmus 1951
                      - Quintet, op. 96   Ms: Library of
                                                      Congress

```
Cellier, Alexandre    (1883 - 1968) F
                      - Images médiévales          Transatl. 1960
                      - Cinq danses anciennes      (Rasmussen)
Ceremuga, Josef       (1930) CS
                      - Capricious Suite, 1965     ČHF
                      - Bläserquintett, 1964       (Riemann)
                      - Bläserquintett Nr. 2, 1968 10'  ČHF
                        o: Panton 11 0365
                           Válek, Lang, Kyzivát, Charvát, Řezáč
Chadžijev, Paraškev   (1912) BG
                      - 3 Stücke für Bläserquintett,
                        1942                       (Paclt)
Chagrin, Francis      (1905) R / F / E
                      - Divertimento        8'30"  Augener 1952/54
Chailley, Jacques     (1910) F
                      - Barcarolle                 Leduc 1948
                      - Suite du XV siècle         Leduc 1967
Chaminade, Cécile L. St. (1857 - 1944) F
                      - Scarf Dance (arr. Hicks)   (Houser)
Chandler, Mary
                      - Valse Emilie               Boosey 1966
Charpentier, Raymond (1880 - 1960) F
                      - Quintette, 1923            (Riemann;
                                                   Schäffer)
Chaun, František      (1921) CS
                      - Bläserquintett             ČHF
Chávez, Ramírez Carlos (1899) MEX
                      - Soli No. 2, 1963           Mills 1963
                        o: Odys. Y-31534
                           Chávez Ensemble
                        o: Crys. S-818
                           Westwood Wind Quintet
Chaynes, Charles      (1925) F
                      - Sérénade                   Leduc 1958
Chemin-Petit, Hans    (1902) D
                      - Quintett, 1947             Lienau 1949
                      - Suite "Dr. Johannes Faust" 20'  Lienau
Chenaux, Antoine      (1899) CH
                      - Quintett, 1939        12'  Ms: SMA
Cherney, Brian        CDN
                      - Interlude and Variations,
                        1965                 10'20"  Jaymar
                      - Woodwind Quintet, 1965     Ms: CMC
Chevreuille, Raymond  (1901) B
                      - Divertissement, op. 21,
                        1942                  15'  CBDM 1962
                      - Sérénade, op. 65, 1956  14'  CBDM 1958
```

Chiang, Tschen Kang
        - Quintett   Rep: Tonkünstler-
                                              quintett

Childs, Bernard   (1926)
        - Five Quintets   ACA
        - Take Five   McGinnis & Marx

Chlubna, Osvald   (1893) CS
        - Bläserquintett, op. 45, 1936 (Kratochvíl)
        - Serenade, op. 63, 1945   (Kratochvíl)

Chrétien, Hedwige   (1859 - 1944)
        - Arabesque   Evette 1921
        - Quintett B-Dur   Andraud *;Southern

Christ, William
        - Quintet   (Houser)

Christensen, James
        - Five for the Fun of it   Kendor 1967

Cicchese, David
        - Toccata No. 5, 1969   (Peters)

Cieslik, Kurt
        - Suite   Ms: Library of
                                              Congress
Cikker, Ján   (1911) CS
        - Scherzino für Bläserquintett,
          op. 12/3, 1934   (Kratochvíl)

Cipci, Kruno   (1930) YU
        - Miniaturen   8' DSS 1973

Cipra, Milo   (1906) YU
        - Quintett, 1964   (Vester)
        - Aubade, 1965   (Riemann)

Clapp, Philip Greeley (1888 - 1954)
        - Prelude and Finale   Boosey 1966

Clarke, Henry Leland (1907) USA
        - Sarabande for the Golden Goose ACA 1977
        - Concatenata (Quodlibet)   ACA 1977

Clauberg, Claus
        - Bläserquintett   (IMB)

Coates, Gloria
        - Five Poems, 1977   Ms, Rep: Bläser-
                                              quintett des SWF
Coenen, Paul   D
        - Präludium und Doppelfuge,
          op. 87, 1976   7'02" Astoria
Cohen, Sol B.   (1891) USA
        - Suite No. 1   Fischer 1938
        - Quintet No. 2   Belwin
        - Minuet-Fantasy from "Suite" Fischer 1970
        - Forest Lullaby from "Suite" Fischer 1970

Coker, Wilson   (1928) USA
        - Quintet, 1955   Presser 1966

```
Colaço Osorio-Swaab, Reine (1889) NL
                    - Suite, 1948              10'    Donemus 1965
Coleman, Randolph   (1937) USA
                    - Projection Number Four, 1966    (Riemann)
Colgrass, Michael   (1938)
                    - Quintet, 1962                   MCA 1970
Colomer, B. M.      F
                    - Bourée                          Fischer 1970
                    - Menuet                          Fischer 1970
Coman, Nicola       (1936) R
                    - Divertissement, 1964            (Cosma)
Comes, Liviu        (1918) R
                    - Bläserquintett, 1964            (Paclt)
Contreras, Salvador (1912) MEX
                    - 2 Pieces, 1969                  (Riemann)
Cooke, Arnold       (1906) England
                    - Quintet, 1961                   Mills
Cooper, Paul        (1929)
                    - Concert for Five                Ms: Pan Pipes
Coppola, Carmine
                    - Quintet                         (Houser)
Coral, Giampaolo    (1944) I
                    - Dialoghi per 5 fiati, 1968   6' Zerboni 1970
Cordero, Rogue      (1917) PA
                    - Variations and Theme for Five
                                                15'   Peer 1976
Corelli, Arcangelo  (1653 - 1713) I
                    - Courante (arr.)                 McGinnis & Marx
                    - Petite Suite from 18th Cent.
                      (arr. Taylor)                   Mills 1941
                    - Sarabande and Courante
                      (arr. Trinkhaus)                Kay & Kay
Corina, John
                    - Woodwind Quintet                Ms: U. of Georgia
Cortés, Ramiro      (1933) USA
                    - Three Movements for Five Wind
                      Instruments                     Elkan-Vogel
                      o: Crys. S-812, Westwood Wind Quintet
Čotek, Pavel        (1922) CS
                    - Tanz-Suite, 1955                ČHF
Coursey, Ralph de   CDN
                    - Fugue a la Rumba                AMP; Berandol
Cowell, Henry Dixon (1897 - 1965) USA
                    - Ballade, 1956                   AMP 1964
                    - Suite, 1933                     Presser 1967
```

```
Crawford-Seeger, Ruth (1901-1953) USA
                        - Suite, 1952                    Broude
                        o: Comp. Rec. S-249, Lark Quintet

Croley, Randell         USA
                        - Quintet in one movement        Tritone 1963
                        - Microespressioni I, 1969       Autograph Ed.

Crosley, Lawrence       (1932 ?)
                        - Quintet, 1966                  Ms (Wise)

Crouse, E.
                        - A Grecian Ballet               Ms (Houser)

Cruft, Adrian           (1921) England
                        - Les Buffons, Worster Brawls    Williams
                        - Stratford Music, op. 57,
                          1968                    8'     Chappell

Csonka, Paul            (1905) A / C
                        - French Suite for Woodwind Quintet Peer 1976

Cunningham, Michael
                        - A Linear Ceremony              Seesaw 1966

Custer, Arthur R.       (1923) USA
                        - Two Movements                  General 1968
                        o: CRI S-253
                          Permutations Quintet

Cvjetajev, Michail A.   (1907) SU
                        - Suite für fünf Blasinstrumente,
                          1950                           (Kratochvíl)

Daetwyler, Jean         (1907) CH
                        - Bläserquintett, 1969      15'  Ms: SMA

Dahl, Ingolf            (1912 - 1970) USA
                        - Allegro and Arioso, 1942       McGinnis 1962

Dahlhoff, Walter        D
                        - Der Choral von Leuthen, 1925   Schmidt 1925

Dallinger, Fridolin     (1933) A
                        - Bläserquintett, 1970           Doblinger 1972
                        - Suite für Bläserquintett, 1973 Doblinger 1977

Damase, Jean-Michel     (1928) F
                        - 17 Variations, op. 22, 1951    Leduc 1952

Dandrieu, François      (1682 - 1738) F
                        - The Fifers (arr. Weait)
                        o: Kaibala Records 20 B 01
                          Phoenix Woodwind Quintet

Danzi, Franz            (1763 - 1826) D
                        - Bläserquintett, op. 41, d-Moll Breitkopf *
                        - Bläserquintett, op. 56/1, B-Dur André *
                        - dito (Weigelt)                 Leuckart 1941
                        - dito                           Musica Rara
```

TROIS

QUINTETTI

POUR

Flûte, Hautbois (ou Clarinette en ut) Clarinette, Cor et Basson

DÉDIÉS

A Mr A. REICHA

PAR

FRANÇOIS DANZI

ŒUVRE 56   LIV.on III   PRIX 7f 50c

PROPRIÉTÉ DES ÉDITEURS

A PARIS,

Chez MAURICE SCHLESINGER, Éditeur, Quai Malaquai, N.º 23, et Chez JANET et COTELLE, au mont d'or, Rue S.t Honoré N.º 123.

A BERLIN,   1140 — 1142

Chez A.M. SCHLESINGER, Éditeur, Libraire et M.d de Musique .

op. 56/1
o: Cla 0611, Residenz-Quintett
o: SABA SB 15140
   Bläserquintett des SWF
o: Mace S-9053, Haifa Wind Quintet
o: DG 2530077, Berliner Philh.
- Bläserquintett, op. 56/2, g-Moll André *
- dito (Weigelt)   15'50" Leuckart
o: Cam LPM 30 027
   Bläserquintett der Philh. Hung.
o: FSM 53 5 10, Bonner Bläser-
   Kammermusik-Vereinigung
o: Int 120 861
   Stuttgarter Bläserquintett
o: PICK 93095, Stalder-Quintett
- op. 56/1 + 2
o: Oiseau 53005, French Wind Quintet
o: None 71108
   New York Woodwind Quintet
- Bläserquintett, op. 56/3, F-Dur André *
- dito (Kneusslin)   Leuckart 1966
o: Lyrichord 7216, Soni Ventorum
- op. 56/ 1 - 3
o: BASF EA 220 702, Danzi Quintett
- Bläserquintett, op. 67/1, G-Dur André 1824
- dito (Rottler)   Leuckart 1965
o: Classic Ed. 2 010
   New Art Wind Quintet
- Bläserquintett, op. 67/2, e-Moll André 1824
- dito (Kneusslin)   Kneusslin 1954
- dito (Rampal)   IMC 1970
o: Con.-Disc 1205 205
   New York Woodwind Quintet
o: None 71108
   New York Woodwind Quintet
- Bläserquintett, op. 67/3, Es-Dur André 1824
- dito   Kneusslin 1972
- Bläserquintett, op. 68 /1, A-Dur André 1824
- dito (Kneusslin)   Kneusslin 1960
- dito   Ricordi 1965
- Bläserquintett, op. 68/2, F-Dur André 1824
- dito (Kneusslin)   Kneusslin 1965
- dito   Ricordi
o: Crys. 251, Soni Ventorum
- Bläserquintett, op. 68/3, d-Moll André 1824
- dito (Vester)   Musica Rara
o: MPS 2520 902-4, Danzi Quintett
o: BASF EA 209 024, Danzi Quintett
- Gypsi Dance (arr. Maganini) Fischer 1970

Dávid, Gyula   (1913) H
- Bläserquintett Nr. 1, 1949   EMB 1955
- Bläserquintett Nr. 2, 1955
  (Serenade)   EMB

```
                       - Bläserquintett Nr. 3, 1964        EMB
                       - Bläserquintett Nr. 4, 1967        EMB 1971
David, Karl Heinrich   (1884 - 1951) CH
                       - Suite, 1921               14'     Selbstverlag
                       - Serenade für Bläserquintett       Corona 1974

David, Thomas Christian (1925) A
                       - Quintett, 1966                    Doblinger 1968

Davidoff, Sydney E.
                       - Pop Goes the Weasel               Ms (Houser)

Davidson, John
                       - Quintet                           Ms: Mich. State U.

Davise, Hugo
                       - Danse Suite                       Ms (Houser)

Déak, Csaba            (1932) H / S
                       - Quintet, 1965             8'      STIM
                       - Andante and Rondo, 1973   6'      R & R 1975

Debras, Louis          B
                       - Rotaties                          CBDM

Debussy, Claude        (1862 - 1918) F
                       - Le petit Nègre (arr. Bozza)       Leduc 1964
                       - Arabesque No. 1 (arr. Elkan)      Elkan 1956
                       - Arabesque No. 2 (arr. Elkan)      Elkan 1956
                       - dito (arr. Rosenthal)             Western
                       - Children's Corner Suite (arr.)(Houser)
                       - Le pas sur la neige (arr.)        (Houser)
                       - La petite suite (arr.)            (Houser)
                       - Romanze (arr.)                    (Houser)
                       - Suite for Winds (arr. McGrosso) Ms: U. of Texas
                       - La Boîte à Joujoux (arr. Renz)  Ms, Rep: Aulos
                                                           Bläserquintett
DeCoursey, Ralph       (1918) USA / CDN (R. de Coursey)
                       - Fugue a la Rumba, 1958            BMI

Dedrick, Christian
                       - Sensitivity                       Kendor 1969

Dedrick, Rusty
                       - My Baby is Smile                  Kendor 1967

Defay,
                       - Dance Profane, 1968 (arr. Wilder) Wilder

Defossez, René         (1905) B
                       - Burlesque, 1928                   CBDM

De Filippi, Amadeo     (1900)(Philip Weston, pseud.)
                       - Arbeau Suite                      Concord 1942

Degen, Helmut          (1911) D
                       - Bläserquintett                    Ms, Rep: Bläser-
                                                           quintett des SWF
```

Dehnert, Max	(1893) D	
	- Festliche Musik	Peters 1967
Dejoncker, Theo	(1894)	
	- Quintett	(Vester)
Dela, Maurice	(1919) CDN	
	- Petite Suite Maritime	CMC
	- Suite pour instruments à vent, 1963	CMC
Delaney, Charles		
	- Suite for Woodwind Quintet	Southern 1963
Delaney, Robert M.	(1903 - 1956)	
	- Suite for Quintet	McGinnis & Marx
De la Vega, Aurelio	(1925) C	
	- Woodwind Quintet, 1959	(Riemann)
Delacroix, L.	(1880 - 1938)	
	- Partita	(Gregory)
De Lone, Peter		
	- Quintet, 1953	Mss: Washington
	- Quintet, 1957	State University
Delvaux, Albert	(1913) B	
	- Walliser Suite, 1966 15'	CBDM 1968
De Meester, Louis	(1904) B	
	- Divertimento	CBDM 1962
Demuth, Norman	(1898 - 1968) England	
	- Pastorale and Scherzo	Hinrichsen
De Nardis, Camillo	(1857 - 1851) I	
	- Allegro giocoso	(Houser)
Denissow, Edisson W.	(1929) SU	
	- Quintett, 1969 6'50"	UE 1975
Dennes, John T.		
	- Neo-classic Quintet, 1958	(Peters)
De Roos, Robert	(1907) NL	
	- Incontri, 1966	Donemus 1967
Deshayes, Prosper-Didier (ca. 1750 - ca. 1815) F		
	- Quintette No. 1	Gobert *
	- Quintette No. 2	Gobert *
Deslandres, Adolphe Edouard Marie (1810 - 1911) F		
	- Trois pièces en quintette, 1903	Andraud *
Désormière, Roger	(1898 - 1963) F	
	- Rameau-Airs de Ballet (arr.)	McGinnis & Marx
	- Six Danceries du XVI siècle	Leduc 1942
Despić, Dejan	(1914) YU	
	- Vignette, op. 43 b	Gerig

```
Desportes, Yvonne B. M. (1907) F
                 - Prélude, Variations et Finale
                   1930                              Andraud 1938
Desserré, G. T.   F
                 - Suite im alten Stil              Nouvelles 1956
Deutsch, Walter
                 - Divertimento, 1955              (ORF)
Deváty, Antonín   (1903) CS
                 - Scherzo und Andante, 1938       Ms (ČHS I)
Detchman, James Emil (1943)
                 - Quintet                          Ms (Wise)
Diamond, David Leo (1915) USA
                 - Quintet, 1958          16'30"    Peer 1962
Dianda, Hilda     (1925) RA
                 - Quintet, 1957                    Ms (CA)
Dickerson, Roger D.
                 - Quintet                 10'      Peer 1976
Diemente, Edward
                 - Variations for Woodwind Quintet Seesaw 1966
Diemer, Emma Lou  (1927) USA
                 - Quintet No. 1, 1962             Boosey 1965
Diercks, John     (1927) USA
                 - Quintet, 1955                   McGinnis & Marx
Diethelm, Caspar  (1926) CH
                 - Bläserquintett Nr. 1, 1959
                                          10'30"    Ms: SMA
                 - Bläserquintett Nr. 2    14'      Ms: SMA
                 - Serenade               25'30"    Ms: SMA
Dillon, Robert M.
                 - Nocturne et Dance               Ms (Houser)
Dimov, Bojidar    (1935) BG
                 - Komposition III, 1968   9'       Modern 1968
Dité, Louis A. J. (1891 - 1969) A
                 - Bläserquintett                  (Riemann)
Dittersdorf, Karl Ditters von (1739 - 1799) A
                 - 3 Partiten, A-Dur, D-Dur, F-Dur
                   (arr.)                           Breitkopf *
                   o: TG OL 5001, French Wind Quintet
                 - Partita in D (arr.)              Musica Rara
                 - Partita in F (arr.)
                   o: DISCO 515, Stalder-Quintett
Dittrich, Paul Heinz A
                 - Pentaculum, 1960                (ORF)
Djambazian, Awedis
                 - Bläserquintett, op. 13/2         Doblinger 1972
```

Dobiáš, Václav (1909) CS
- Quintetto pastorale, 1943/1958 Panton 1961
  o: Supraphon DV 5868 F 16'
  Bläserquintett der Tschech. Philh.

Dodgson, Stephen (1924) England
- Suite for Wind Quintet, 1965 17'Chappell

Döhl, Friedhelm (1936) D
- Klangfiguren, 1962 Gerig

Domansky, Alfred (1883)
- Quintett Schmidt 1927

Domažlický, František (1913) CS
- Bläserquintett Nr. 1, 1956 19' ČHF
- Bläserquintett Nr. 2, 1967 11' (Prager Rundf.)

Dombrowski, H. M.
- Bläserquintett Ms, Rep: Bamberger Bläserquintett

Domenico, Olivio di
- Quintetto Leduc 1955

Donato, Anthony (1909)
- Quintet Camara

Doppelbauer, Josef F. (1918) A
- Bläserquintett, 1970 Doblinger 1973

Doran, Matt. (1921)
- Theme, Variations, and Double
  Fugue, 1951 (Peters)

Dorward, David (1933) Scotland
- Air, strathspey and reel,
  op. 44, 1968 4'30" Ms: ScMA

Douglas, Richard Roy (1907)
- Six Dance Caricatures, 1939 Peters 1967

Downey, John (1927)
- Quintet, 1966 Ms: U. of Wisc.

Draeger, Walter (1888) D
- Quintett, 1953 (IMB)
- Concertino für 5 Bläser, 1962 (Paclt)

Dragan, Rafael (1909) IL
- Aus der Jugend IMP 1972

Drejsl, Radim (1923 - 1953) CS
- Bläserquintett, 1948 14' ČHF
  o: Panton 11 2083

Dressler, Rudolph (1932) D
- Miniaturen für Bläserquintett, Breitkopf,
  1966 Leipzig 1974

Dreyfus, George (1928) D / AUS
- Bläserquintett I, 1965 (Paclt,
- Bläserquintett II, 1968 Riemann)

82

```
Driesch, Kurt          (1904) D
                       - Bläserquintett, op. 74, 1958   (Riemann)

Dubois, Pierre Max     (1930) F
                       - Fantasia                        Leduc 1956

Dubois, Théodore       (1837 - 1924) F
                       - Première Suite                  Presser 1967
                       - Deuxième Suite                  Leduc
                       - Passacaille                     Heugel

Dumont, Jacques        (1913) F
                       - Quintette à vent                (Riemann)

Duncan, John
                       - Pastorale, 1956                 Ms: Alabama
                                                         State College
Dupont, Pierre         (1821 - 1870) F
                       - Trois pièces brèves             Billaudot 1976

Durand, Marie Auguste  (1830 - 1909) F
                       - Rococco Menuet                  Schmidt 1948

Durey, Louis Edmond    (1888) F
                       - Les Soirées Valfère, op. 96,
                         1964                            Billaudot 1976

Durkó, Zsolt           (1934) H
                       - Improvisationen                 EMB 1970

Durmé, Jef van         (1907 - 1965) B
                       - Bläserquintett, 1951            (Paclt)

Dvořáček, Jiři         (1928) CS
                       - Bläserquintett, 1951            ČHF

Dvořák, Antonín        (1841 - 1904) Böhmen / Bohemia
                       - Serenade, op. 44
                         (arr. Haufrecht)                ACA 1977
                       - Humoreske (arr. Harris)         Fischer 1970

Eben, Peter            (1929) CS
                       - Bläserquintett, 1965      13'   Supraphon 1967
                         o: Supraphon 141 0119 G
                         Reicha Bläserquintett

Eberhard, Dennis J.
                       - Paraphrases, 1968              Ms: Univ. of Ill.

Echevarría, Victorino (1898 - 1938)
                       - Quinteto en Re menor      17'  Ms: SGAE
                       - Suite da cámara                Ms: SGAE

Eckartz, Hubert        (1903)
                       - Quintett Es-Dur                Iris

Eckhardt-Gramatté, Sophie-Carmen (1901 - 1974)A/CDN
                       - Quintet, 1963                  CMC

Edel, Yitzhak          (1896) IL
                       - Woodwind Quintet               IMI 1967
```

```
Eder, Helmut           (1916) A
                       - Bläserquintett, op. 25    10'   Doblinger 1958
                       - 2. Bläserquintett, op. 51
                       "Septuagesima instrumentalis"
                       1969                         15'   Doblinger 1970

Eder de Lastra, Erich (1933) A
                       - Bläserquintett            10'   Doblinger 1958

Edwards, Ross          (1943)
                       - Quintet No. 1, 1963             (Paclt)
                       - Quintet No. 2, 1965            (Paclt)

Effinger, Cecil        (1914) USA
                       - Quintet, 1947                   Ms (Peters)

Egge, Klaus            (1906) N
                       - Quintett, op. 13, 1939          Lyche
                       o: Philips 839.249 AY

Egidi, Arthur          (1859 - 1943)
                       - Quintett, op. 18, B-Dur         VfMKW 1937

Egk, Werner            (1901) D
                       - Fünf Stücke für Bläser-
                       quintett                          Schott

Ehrlich, Abel          (1915) IL
                       - 4 Bläserquintette, 1966, 1969,
                       1970, 1970                        (Brüchle)

Eisler, Hanns          (1898 - 1962) D
                       - Bläserquintett, op. 4, 1923     UE 1967
                       - Divertimento                    (IMB)

Eisma, Will            (1929) NL
                       - Quintett, 1955                  Donemus 1960
                       - Fontemara, 1965                 Donemus 1967

Eitler, Esteban        (1913 - 1960) A / RCH
                       - Quintet, 1945                   Ms (Schäffer)

Eklund, Hans           (1927) S
                       - Sommerparaphrase, 1968     9'   Ms: FST
                       - Improvisation, 1958        3'   Ms: FST

Elgar, Edward William (1857 - 1934) England
                       - Woodwind Quintet, op. 6         (Schäffer)
                       - Salut d'Amour (arr. Trinkaus)   Andraud *

Eliasson, Anders       S
                       - Picknick, 1972             5'   Ms: STIM

Elliot, Williard
                       - Two Sketches                    Ms: N. Texas
                       - Quintet                         Ms (Peters)

Emborg, Jens Laurson   (1876 - 1957) DK
                       - Quintet, op. 74                 Dania 1937

End, Jack
                       - Memo to a Woodwind Quintet      Ms: Sibley Libr.
```

Engela, David
 - Divertimento   Ms (Vester)
Engelbrecht, Richard
 - Bläserquintett, 1961   25'50"   Ms (Brüchle)
Englert, Giuseppe Giorgio (1927) CH
 - Rime Serie, op. 5, 1958   11'   Ms: SMA
Eppert, Carl   (1882 - 1961) USA
 - Suite No. 2, op. 57, 1935   16'   Ms (Reis)
 - Suite Pastoral, op. 64, 1936 24' Ms (Reis)
 - Original Theme and 12
   Variations, op. 63, 1935   23'   Ms (Reis)
Epstein, Alvin
 - Quintet   Seesaw 1966
Erdlen, Hermann   (1893) D
 - 12 kleine Variationen, op. 27/1 Zimmermann 1932
Erichsen, Poul Allin (1910) DK
 - 2 ironische Stücke   8'   Ms: Dän. Rundfunk
Ericsson, Jan
 - Bläskvintett   11'   Ms: STIM
Ervin, Karen
 - Tracks for Woodwind Quintet   Seesaw 1966
Escher, Rudolf George (1912) NL
 - Bläserquintett   15'   Donemus 1970
   o: DAVS
Escobar, Luis Antonio (1925)
 - Quinteto "La Curaba", 1959   Ms (CA)
Essex, Kenneth   (1915)
 - Woodwind Quintet, 1941   Peters 1967
Etler, Alvin Derald   (1913 - 1973) USA
 - Quintet No. 1, 1955   AMP 1967
   o: Con.-Disc 1216, 216
     New York Woodwind Quintet
 - Quintet No. 2, 1957   AMP 1964
Etti, Karl   (1912) A
 - Bläserserenade für fünf
   Solisten, 1967   15'   Ms (Brüchle)
Euba, Akin   Nigeria
 - Woodwind Quintet   Ms (Brüchle)
Evans, Robert B.
 - Prelude and Fugue, 1967   Berandol
Exton, John   (1932) AUS
 - Quintet No. 1   (Brüchle)
Fairlie, Margaret   (1925)
 - Windquintet, 1962   Ms (Vester)
 - Quintet No. 3   Ms (Vester)
Farlik, Jurij   (1936) SU
 - Bläserquintett, 1964   Muzyka 1967

85

```
Färber, Otto            (1902) A
                        - Bläserquintett              (Riemann)

Farberman, Harold       (1930) USA
                        - Quintessence               General Music

Farkas, Ferenc          (1905) H
                        - Altungarische Tänze      10'  EMB 1959
                        - Serenade, 1951                EMB 1967
                        - Bläserquintett, 1957          EMB 1967
                        - Divertissement "Lavotta", 1967  EMB 1970

Farles, R.
                        - The Wight Wind               Ms (Houser)

Farnaby, Giles          (ca. 1560 - ca. 1620) England
                        - Variations on Elizabethan Song
                          and Dance Airs (arr. Foster)  Boosey 1966

Fauré, Gabriel          (1845 - 1924) F
                        - Barcarole (arr.)           (Houser)
                        - Les Présents (arr.)        (Houser)
                        - Berceuse (arr. Williams)   McGinnis & Marx

Felciano, Richard       (1930) USA
                        - Contractions, 1965         Schirmer

Feld, Jindřich          (1925) CS
                        - Bläserquintett, 1949     15'  ČHF
                        - 2. Bläserquintett, 1968  10'  Supraphon 1972
                          o: Supraphon 1 11 1426
                          Prager Bläserquintett

Feldbusch, Eric         (1922) B
                        - Aquarelle, op. 7, 1965     CBDM 1969

Feldhofer, Herbert      (1938) A
                        - Kleine Suite               (ORF)

Feldman, Herbert
                        - First Wind Quintet         McGinnis & Marx

Feldman, Ludovic        (1893) R
                        - Bläserquintett             (Kratochvíl)

Felix, Václav           (1928) CS
                        - Bläserquintett op. 35, 1972  Panton 1976
                          o: Panton 11 0410         16'
                          Tschech. Bläserquintett

Felttre, Alphonse Clarke
                        - Quintette                  (Fétis)

Fennelly, Brian         (1937)
                        - Wind Quintet, 1967         Comp. Rec. 1977

Fenner, Burt
                        - Wind Quintet               Seesaw 1966

Fernstrøm, John Axel    (1897 - 1961) S
                        - Quintett, op. 59, 1943   18'  Ms: FST
```

```
Ferrari, Domenico      (ca. 1722 - 1780) I
                       - Pastorale (arr. Sabatini)          McGinnis & Marx
Ferrari, Giorgio       (1925) I
                       - Musica a cinque            11'     Zanibon 1974
Fiala, George          (1922) Ukraine
                       - Musique de chambre, 1948           Ms: CMC
Fiala, Jiří Julius     (1892) CS
                       - Suite of Czech Dances, 1915        (Schäffer)
                       - Miniaturen, 1950                   (Schäffer)
Fibich, Zdeněk         (1850 - 1900) Böhmen / Bohemia
                       - Idyllische Suite (arr.)            ČHF
Ficher, Jacobo         (1896) RA
                       - Bläserquintett, op. 108, 1967      (Riemann)
Fine, Irwing Gifford   (1914 - 1962) USA
                       - Partita, 1948                      Boosey 1951
                         o: Classic Ed. 1003
                            New Arts Wind Quintet
                         o: Mark 28486
                            Interlochen Arts Quintet
                       - Romanza, 1958                      Mills 1963
Finke, Fidelio Fritz   (1891 - 1968) D
                       - Bläserquintett, 1955               Breitkopf 1956
Fiorello, Dante
                       - Jig and Reels                      Ms (Houser)
Fischer, Jan F.        (1922) CS
                       - Bläserquintett, 1971               Supraphon 1973
Fitelberg, Jerzy
                       - Bläserquintett                     Ms: JAMU
Flament, Édouard       (1880 - 1958) F
                       - Suite en quintettes, op. 126       Ms (Rasmussen)
Flegl, Josef           (1881 - 1962) CS
                       - Zwischen den Hühnern               Ms
                         o: Supraphon 3051-M
                            Bläserquintett der Tschech. Philh.
Fleming, Robert        (1921)
                       - Quintet                            CMC
Flosman, Oldřich       (1925) CS
                       - Bläserquintett Nr. 1, 1948         (Kratochvíl)
                       - Bläserquintett Nr. 2, 1962         Panton 1975
Flury, Urs             (1941) CH
                       - Bläserquintett                     (Schweiz. Rundf.)
Foerster, Josef Bohuslav (1859 - 1951) CS
                       - Bläserquintett D-Dur, op. 95,
                         1909                                HM 1925 / ČHF
                         o: Supraphon DV 5362
                         o: BASF EA 218 090, Danzi Quintett
```

L'Heure du Berger

Jean Françaix

1 Les Vieux Beaux

© B. Schott's Söhne, Mainz, 1970

Ed. 4103

Folprecht, Zdeněk   (1900 - 1961) CS
                      - Bläserquintett, op. 17, 1938   ČHF 1961

Foret, F.
                      - Quintet   Ms (Gregory)

Forsberg, Roland   S
                      - Variationer över ett eget tema
                        i folkton, 1965   4'   Ms: STIM 1976

Förtig, Peter   (1935) NL
                      - Quintett, 1963   Donemus

Fortner, Wolfgang   (1907) D
                      - 5 Bagatellen, 1960   Schott 1960
                        o: Philips 6500261

Foss, Lukas   (1922) USA
                      - The Cave of the Winds, 1972 15' Salabert

Foster, Arnold W. A. (1898 - 1963) England
                      - Variations on Elizabethan Airs
                        by G. Farnaby, 1957   McGinnis & Marx

Forster, Walter von
                      - Divertimento ballàbile   (Bayer. Rundf.)

Fougsted, Nils-Eric   (1910 - 1961) SF
                      - Bläserquintett, 1946   (Paclt)

Frackenpohl, Arthur   (1924) USA
                      - Passacaglia and Fugue, 1953   Ms: NY State U.
                      - French Suite   Shawnee 1972
                      - Two Joplin Rags   Shawnee 1974

Fragale, Frank   (1894)
                      - Quintet   AMP 1948
                      - Angora Lake, 1957   Ms: Library of
                                                        Congress
Françaix, Jean René   (1912) F
                      - Quintett E-Dur, 1948   Schott 1951
                        o: Turn. 34567, Dorian Quintet
                        o: Orion 73123, Woodwind Arts Quintet
                        o: Con.-Disc 1222, 222
                           New York Woodwind Quintet
                        o: Ev 3080, New York Winds Quintet
                        o: Angel D 35133 / T 35133
                           Radiodiffusion Française
                      - Divertissement (arr.)   Elkan

Francl, Jaroslav   (1906) CS
                      - Bläserquintett, 1962   (Gardavský)
                      - Reportages, 1963   (Gardavský)

Franco, Johan   (1908) USA
                      - Canticle, 1958   ACA 1977
                      - 7 Epigrams   ACA 1977

Frangkiser, Carl   (1894) USA
                      - Episodes from "Dedication"   Belwin

```
Franzén, Olof            (1946) S
                         - Spiel, 1969                      Ms: STIM
Franzier, Theodore
                         - Quintet                          Kendor
Freed, Dorothy
                         - Variations                       Australian
Freed, Isadore           (1900 - 1960) USA
                         - Quintet, 1949                    Templeton
Freedman, Harry          (1922) CDN
                         - Quintet, 1962                    Kerby
Freitas Branco, Frederico (1902) P
                         - Bläserquintett, 1950             (Riemann)
Freund, Don
                         - Quick Opener for Wind Quintet    Seesaw 1966
Frey, Emil               (1889 - 1946) CH
                         - Quintett A-Dur, op. 47      18'  Selbstverlag
Freyer, Joachim
                         - Divertimento, op. 40             Breitkopf
Fricke, Hugo             (1829 - 1894)
                         - Divertimento                     (IMB)
Fricker, Peter Racine    (1920) England
                         - Quintet, op. 5, 1947             Schott 1951
                           o: ZRG 5326, RG 326
                           London Wind Quintet
Friess, Hans             (1910) D
                         - Bläserquintett                   (Schäffer)
Fritchie, Wayne
                         - Two Pieces for Wind Quintet      Seesaw 1966
Fromm-Michaels, Ilse     (1888) D
                         - Vier Puppen, op. 4               (Riemann)
Frumker, Linda
                         - Quintet, 1966                    Pan Pipes 1967
Frumerie, Gunnar de      (1908) S
                         - Svit, op. 71, 1973       17'30"  Gehrmans 1976
Fučik, Julius            (1872 - 1916) CS
                         - Polka                            Muzgiz 1965
Furer, Arthur            (1924) CH
                         - Quintett, op. 21            15'  Pelikan
Fürst, Paul Walter       (1926) A
                         - Konzertante Musik, op. 25, 1957 Doblinger 1966
                         - Bläserquintett Nr. 3, op. 29     Doblinger 1966
                         - Apropos Bläserquintett, op. 49
                           1971                             Doblinger 1972
Fussan, Werner           (1912) D
                         - Musik, op. 14, 1948              Kasparek 1948
```

```
Futterer, Carl          (1873 - 1927) CH
                        - Quintett B-Dur, 1922      20'    Kneusslin 1967

Gaál, Jenö              (1900) H
                        - Quintet for Wind Instruments,    Ms (Contemporary
                          1958                             Hungar. Comp.)
                        - Quintett Nr. 2, 1967             EMB 1971

Gabaye, Pierre          (1930) F
                        - Quintette, 1959                  Leduc 1961

Gabriel, Wolfgang       A
                        - Quintett, op. 22                 (ORF)

Gade, Niels Wilhelm     (1817 - 1890) DK
                        - Merry go round (arr. Elkan)      Elkan

Gagnebin, Henri         (1886) CH
                        - Quintett                         Ms (Peters)

Gan, N.
                        - Quintett                         Muzyka

García Morillo, Roberto (1911) RA
                        - Divertimento über Themen von
                          P. Klee, op. 37, 1967            (Riemann)

Gárdonyi, Zoltán        (1906) H
                        - Bläserquintett, 1958             (Paclt)

Garrido-Lecca, Celso    (1926) PE / RCH
                        - Divertimento, 1957      12'30"   Peer 1976

Gayfer, James M.        (1916) CDN
                        - Suite, 1947                      Boosey & Hawkes

Gébauer, François René  (1773 - 1845) F
                        - 3 Quintette in B-Dur, Es-Dur,
                          c-Moll                           McGinnis 1966
                        - Quintett Nr. 2, Es-Dur
                          (Sirker)                    25'  Leuckart 1971
                        - dito (Vester)                    UE
                        - Quintett Nr. 3, c-Moll
                          (Sirker)                    25'  Leuckart 1970

Geissler, Fritz         (1921) D
                        - Heitere Suite                    Breitkopf 1957
                        - Bläserquintett                   Peters, Lpzg.'74

Gelbrun, Artur
                        - Quintet, 1971                    Ms, Rep: Israel
                                                           Woodwind Quintet

Gentilucci, Armando     (1939) I
                        - Cile 1973, 1973                  Ricordi 1974

Genzmer, Harald         (1909) D
                        - Quintett, 1957                   Litolff 1959
                          o: Saba

George, Thom Ritter
                        - Quintet No. 1, 1966              (Library of
                        - Quintet No. 2, 1967              Congress)
```

Geraedts, Jaap	(1924) NL	
	- Kleine Wassermusik, 1951 12'	Donemus 1965
Gerhard, Roberto	(1896 - 1970) CH	
	- Quintett, 1928	Mills 1960
	o: Argo 5326	
	London Wind Quintet	
German, Edward	(1936)	
	- Serenade	Ms (Peters)
Gershwin, George	(1898 - 1937) USA	
	- Promenade (arr. Harris)	McGinnis & Marx
Gerster, Ottmar	(1897 - 1969) D	
	- Heitere Musik, 1936	Schott 1966
Ghedini, Giorgio Federico (1892 - 1965) I		
	- Quintett, 1910	Ms (Schäffer)
Gheel, Henry		
	- Waltz in canon on an Irish Lament	Richardson 1959
Gheorghin, Virgil	(1905) R	
	- Bläserquintett, 1958	(Cosma)
Giannini, Vittorio	(1903 - 1966) USA	
	- Quintet, 1934 15'	(Paclt)
Gibson, David		
	- Ligatures for Wind Quintet	Seesaw 1966
Giffels, Ann		
	- Quintet	Ms (Houser)
Gillis, Don	(1912) USA	
	- 3 Suites	Mills 1956
	- And Mr. Tortoise Wins the Race	Belwin-Mills
	- Br'er Rabbit Dreams	Belwin-Mills
	- Five Piece Combo	Belwin-Mills
	- Frolic in B-Pop Major	Belwin-Mills
	- Sermonette (Southern Style)	Belwin-Mills
	- They're Off	Belwin-Mills
Gillmann, Kurt	(1889 - 1975) D	
	- Bläserquintett, 1966	(Riemann)
Giltay, Berend	(1910) NL	
	- Quintetto, 1956	Donemus 1965
Ginsburg, Isaac		
	- Quintet, 1931	(Libr. of Congr.)
Ginzburg, Dov	IL	
	- Fantasy	IMP 1965
Giron, Arsenio	(1932)	
	- Quintet, 1962	Contemp. Music
Glaser, Werner Wolf	(1910) S	
	- Quintet No. 2, 1961-70	Ms: STIM

Glass, Philip M.   (1937)
                     - Concertino, 1963   Contemp. Music

Gluck, Christoph Willibald (1714 - 1787) D
                     - Gavotte from "Paris and Helena"
                       (arr. Jospe)   Fischer 1970

Godske Nielsen, Svend (1867 - 1935) DK
                     - Suite für Bläser   Ms: Konelig Bibl.

Goeb, Roger   (1914) USA
                     - Prairie Songs, 1947   11'15"   Peer 1952
                     - Quintet No. 1, 1949   Peer 1952
                       o: Classic Ed. 2 003
                       New Art Wind Quintet
                     - Quintet No. 2, 1956   McGinnis & Marx
                       o: CRI 158
                       New Art Wind Quintet

Goldbach, Stanislav (1896 - 1945?) CS
                     - Bläserquintett, op. 32   Ms: JAMU

Goldmann, Friedrich
                     - Konstellation, 1976   (ORF)

Goldšteins, Edmunds
                     - Seven Folk Songs from Latgabe, Ms: Phoenix
                       1968   Woodwind Quintet

Goleminov, Marin   (1908) BG
                     - Bläserquintett Nr. 1, 1936   (Schäffer)
                     - Bläserquintett Nr. 2, 1946   (Schäffer)
                     - Bläserquintett Nr. ?   BSV

Golland, John
                     - Quintett in D, op. 5   Molenaar 1972

Gombau, Guerra Gerardo (1906 - 1971) E
                     - Texturas y estructuras, 1962   Ms: SGAE

Gomoljaka, Vadim Borisowich (1914) SU
                     - Quintett, 1947   (Kratochvíl)
                     - Quintett, 1948   (Kratochvíl)

González-Zuleta, Fabio (1920) CO
                     - Suite de ayer y de hoy, 1956   Ms (CA)
                     - Quinteto abstracto, 1960
                                             9'20"   Peer 1966

Goodenough, Forrest (1918) USA
                     - Quintet, 1954   ACA 1977

Goodman, Alfred   (1920) D / USA
                     - Five Sequences for Woodwind
                       Quintet   Ms

Goodman, Joseph   (1918) USA
                     - Quintet, 1954   Broude
                       o: Lyr. S-158
                       Soni Ventorum

Göpfert, Carl Andreas (1768 - 1818) D
                     - Bläserquintette   (Kurtz; Riemann)

93

Gordon, Philip   (1894) USA
                          - Classics for 3, 4 and 5 Woodwinds Elkan

Gottlieb, Jack   (1930)
                          - Twilight Crane, Yuzuru Fantasy
                          1961   Schirmer 1963

Gould, Morton   (1913) USA
                          - Pavane (arr. Taylor)   McGinnis & Marx

Gounod, Charles   (1818 - 1893) F
                          - Funeral March of a Marionette
                          (arr. Teague)   AMP 1964

Gouvy, Louis Théodore (1819 - 1898) F
                          - Serenade   Sikorski

Gow, David   (1924) Scotland
                          - Serenata for Wind, op. 44,
                          1958   10'   Ms: ScMA

Graetzer, Guillermo   (1914) RA
                          - Divertimento, 1910   (Schäffer)

Grahn, Ulf   (1942) S
                          - Opus III per quintetto di fiato,
                          1964   5'   Ms: STIM

Grainger, Percy A.   (1882 - 1961) USA
                          - Walking Tune   Schott 1966
                          - Lisbon   Schott, London

Gram, Peder   (1881 - 1956) DK
                          - Quintett, op. 31, 1943   Ms (Schäffer)

Gramatges, Harold   (1918) C
                          - Quintet, 1957   (Riemann)

Granados, Enrique   (1867 - 1916) E
                          - Oriental, op. 5 (arr. Elkan) Elkan 1976

Grandert, Johnny   (1939) S
                          - Pour Philippe, 1970   10'   Ms: STIM

Grant, Parks W.   (1932) USA
                          - Soliloquy and Jubilation, op. 40 ACA 1977

Green, Ray   (1908) USA
                          - Wind Quintet, 1933   (Reis)

Gress, Richard   (1893) D
                          - Bläserquintett, op. 42   (Riemann)
                          - Bläserquintett Nr. 2, op. 124 (Riemann)

Gretry, André   (1741 - 1813) B
                          - Tambourine (arr. Sabatini) McGinnis & Marx

Grieg, Edvard   (1843 - 1907) N
                          - Lyric Suite (arr. Taylor)   Southern Music
                          - Morning Mood (arr. Trinkaus) McGinnis & Marx
                          - Norwegian Dance (arr. Cafarella) Volkwein 1951
                          - Sonate, op. 7, e-Moll   Ms, Rep: Aulos
                          (arr. Renz)   Bläserquintett

94

Grimm, Carl Hugo	(1890)	
	- A little Serenade, op. 36	Andraud 1937
Groot, Hugo de	(1914)	
	- Variation Suite, 1944	Broekmans 1966
	- Burla Ritmica	Broekmans 1966
	- Suite on a Dutch Folksong	Broekmans
Gross, Eric	(1926) AUS	
	- Divertimento über ein Thema von Schumann, 1959	(Pac1t)
Gruber, Karl Heinz	(1943) A	
	- Bossa Nova, op. 21 e	Doblinger 1974
Gudmundsen-Holmgreen, Pelle (1932) DK		
	- Terrace in six stages	Hansen 1975
Guenther, R.		
	- Rondo	Fischer 1970
Guentzel, Gus		
	- Bas-Bleu	Barnhouse 1947
	- Intermezzo	Pro-Art 1942
Guilmont		
	- Canzonetta (arr. Taylor)	McGinnis & Marx
Guinjoan, Joan	(1931) E	
	- Triptico, 1965	(Pac1t)
Guion, D. W.		
	- The Harmonica Player	(Houser)
Gürsching, Albrecht	(1934) D	
	- Three Operation Oders for Woodwind Quintet, 1970 8'	Peer 1970
Gwilt, David	(1932) England	
	- Quintet, 1956 16'	Ms
Gyring, Elizabeth	(? - 1970) USA	
	- Fugue in Old Style	ACA
	- Quintet	ACA 1977
Haas, Pavel	(1899 - 1944) CS	
	- Bläserquintett, op. 10, 1929 o: Supraphon DV 5868 F Brünner Bläserquintett	Sádlo 1934
Hába, Emil	(1900) CS	
	- Suite	(ČHS)
Hába, Karel	(1898) CS	
	- Bläserquintett, op. 28, 1945	Ms (Kratochvíl)
Haddad, Donald	(1935) USA	
	- Blues au vent o: Golden Crest	Shawnee 1966
	- Encore "1812"	Shawnee 1966
Hadjiev, P.	(1912) BG	
	- Three Sketches	BSV

Hagerup Bull, Edvard (1922) N
- Marionettes Sérieuses, Capricci
  pour 5 vents, 1960   9'   Ms: NMIC

Hahn, Volker
- 5 Sätze   Ms: IMB

Hahnel, Heinz   D
- Quintett   Heinrichsh. 1966

Haidmayer, Karl   (1927) A
- Symbiose II   9'   Schulz
- III. Bläserquintett, 1967 18'   Selbstverlag
- IV. Bläserquintett   12'   Selbstverlag

Haják, Károly   (1886 -?) R
- Bläserquintett   (Cosma)

Halaczinsky, Rudolf
- Epitaph für Bläserquintett   (ORF)

Hall, Pauline M.   (1890) N
- Suite for five winds, 1944
  o: Philips 839.256 AY   12'   Lyche 1952

Hamerik, Ebbe   (1898 - 1951) DK
- Quintett, 1942   15'   Samfundet 1944
  o: EMI PASK 2 006
  The Royal Orchestra's New Wind Quintet
  o: Desto 6401
  Soni Ventorum

Hamilton, Iain Ellis (1922) Scotland
- Sonata for five, 1966   10'   Schott/London

Hammond, Donald
- Quintet   Ms: U. of Wisc.

Händel, Georg Friedrich (1685 - 1759) D
- Suite for Woodwinds in C
  (arr. Boyd)   Witmark
- Suite in B flat major
  (arr. Taylor)   Southern Music
- 6 little Fugues (arr. Bauer)   AMP 1964
- Rigaudon, Bouree and March (arr.)
  o: Kaibala Records 20 B 01
  Phoenix Woodwind Quintet

Hannay, Roger
- Divertimento   Ms: U. of Wisc.

Hannig, Petr   (1946) CS
- Spiele für Bläserquintett   Ms, Rep: Quintett'74

Hannikainen, Väinö Atos (1900 - 1960) SF
- Pastorale, op. 50   (Vester)

Hansen, Ted
- Contrasts for Wind Quintet   Seesaw 1966

Hanuš, Jan   (1915) CS
- Suita domestica, op.57, 1964 17' Panton 1967

Harder, Paul O.			
	- Quintet, 1957		Ms: U. of Iowa
Harper, Edward	(1941) Scotland		
	- Quintet, 1969	8'	Ms: ScMA
Hartley, Gerard	(1921) USA		
	- Divertissement		AMP 1951

Hartley, Walter S.   (1927)
- Two Pieces for Woodwind Quintet   Fema
    o: Mark 28486
       Interlochen Arts Quintet

Hartzell, Eugene
- Projections for Wind-Quintet   Doblinger 1974

Hasenöhrl, Franz   (1885 - 1970) A
- Kammer-Serenade in vier Sätzen   Ms

Hashagen, Klaus   (1924) D
- Rondell, 1964   (Vester)
- Colloquium   Peters 1977

Hasse, Johann Friedrich   (1902)
- Kammermusik   Benjamin 1966
- Two Dances   McGinnis & Marx

Haubiel, Charles   (1892) USA
- Five Pieces   Elkan

Haudebert, Lucien   (1877 - ?)
- Suite   Senart 1931

Haufrecht, Herbert   (1909) USA
- A Woodland Serenade, 1955   Rongwen 1966
- From the Hills   ACA 1977
- Airs pour jouer à la troupe
   marchant   ACA 1977

Haug, Hans   (1900 - 1967) CH
- Bläserquintett, 1955   (Riemann)

Haworth, Frank   (1905) CDN
- Glenrose Suite, 1960   Ms: CMC

Haydn, Franz Joseph   (1732 - 1809) A
- Divertimento B-Dur, Hob. II : 46
   (+ Choral St. Antoni)
   (arr. Perry)   Boosey & Hawkes
   o: Cam LPM 30 027
      Bläserquintett der Philh. Hungaria
   o: Cal 30 434, Residenz-Quintett
   o: EMI 1C 065-28941 Q
      Bayer. Staatsorch.
   o: Int 185 803
      Stuttgarter Bläserquintett
   o: FSM O 534
      Tonhalle Zürich
   o: Chr SCGLB 75 867
      Bläserquintett des SWF

- dito (Philadelphia Woodwind Qu.) Presser
  o: ML 5093 Philadelphia Ww.Qu.
- Divertimento in C, Hob.II:11
  (arr. Long)   Schirmer
- dito (arr. Haufrecht)   ACA 1977
- Quintett nach dem Klaviertrio
  C-Dur (arr. Muth)   Hofmeister
- Quintett nach dem Klaviertrio
  A-Dur (arr. Kesztler)   EMB
- Sieben Stücke für die Flöten-
  uhr (arr. Vester)   UE
- Allegretto (Symphonie II)(arr.)Barnhouse
- Trio in G (arr. Reisman)   Camara
- Quintet No. 1 (arr. Long)   Southern 1961
- Menuetto (Symph. II)
  (arr. Holmes)   Bernhouse 1935
- Menuetto and Presto
  (arr. Andraud)   Southern Music
- Divertimento (arr. Rechtman)   Ms, Rep: Israel
                                           Woodwind Quintet
- Musical Clock Pieces
  (arr. Skowronek)   McGinnis & Marx
- Fourteen Pieces for the
  Mechanical Organ, 1793
  (arr. Skowronek)   McGinnis & Marx
- Two Short Quintets
  (arr. Andraud)   Southern 1975
- Quintet No. 1 from a Haydn
  Trio (arr. Long)   Southern 1975
- Quintet No. 4 from a Haydn
  Trio (arr. Long)   Southern 1975
- Menuetto and Scherzo
  (arr. Kreisler)   Southern 1975

Haydn, Michael   (1737 - 1806) A
- Divertimento G-Dur, 1785   Ms, Rep: Aulos
  (arr. Renz)   Bläserquintett

Hays, Robert
- Quintet   Ms: U. of Ind.

Heiden, Bernhard   (1910) USA
- Sinfonia, 1949   AMP 1966
  o: Now 9632
- Woodwind Quintet, 1965   Broude
  o: GC 4125
     Clarion Wind Quintet

Heider, Werner   (1935) D
- Edition   Ms, Rep: Syrinx
- Bläserquintett   Ms, Rep: Bamberger

Hein, Max
- Bläserquintett   Schmidt 1903

Heineman, John   USA
- Views   Peters

98

```
Hekster, Walter        (1937) NL
                       - Quintett                    Donemus
                       - Pentagram, 1961             Donemus 1971
                       - Relief No. 4, 1969      9'  Donemus 1972

Held, Jan Theobald     (1770 - 1851) Böhmen / Bohemia
                       - Menuetto Scherzoso          Ms: JAMU

Helger, Lutz           (1913) D
                       - Cassation, 1962        10'  Dehace 1963

Helm, Everett B.       (1913) USA
                       - Woodwind Quintet, 1967      Schott 1970

Helmschrott, Robert M. (1938) D
                       - Quintett "Der Stein mit den
                         fünf Gesichtern"      5'40" Ms (SWF)

Hemel, Oscar Louis van (1892) NL
                       - Wind Quintet, 1972     10'  Donemus 1975

Hempel, Rolf           (1932)
                       - Mivimento, 1966         7'  Bosse 1967

Henkemans, Hans        (1913) NL
                       - Quintett, 1934              Donemus
                       - Quintett Nr. 2, 1962   13'  Donemus

Henry, Otto W.         (1933) USA
                       - Gymnopede, 1962             (Riemann)

Henze, Hans Werner     (1926) D
                       - Bläserquintett, 1952        Schott 1953
                         o: Philips 6500261

Herberigs, Robert      (1886 - 1974) B
                       - Concert champêtre, 1938 30'  CBDM

Herf, Franz            A
                       - Bläserquintett              (ORF)

Hermann, Friedrich     (1828 - 1907) D
                       - Zur Übung im Zusammenspiel   Breitkopf 1899

Hernández, Hermilio    (1931) MEX
                       - Quintet, 1965               (Riemann)

Herrmann, Hugo         (1896 - 1967) D
                       - Kleine Suite, op. 24 a      Hohner
                       - Pastorale Phantasietten, op.51 Simrock
                       - Romantische Episoden, op. 13 c (Rasmussen)

Hespos, Hans Joachim   (1938) D
                       - Profile, 1972          11'  Modern 1972
                       - SASA für Bläserquintett, 1971 Rep: Stuttgart.
                                                      Bläserquintett

Hess, Willy            (1906) CH
                       - Divertimento B-Dur, op.51 15' Hinrichsen 1956

Hétu, Jacques          (1938) CDN
                       - Quintette pour instruments à
                         vent, op. 13, 1967     12'  Ms: CMC
                         o: CMC tape
```

Geschrieben für die Frankfurter Bläser-Kammermusikvereinigung

Kleine Kammermusik für 5 Bläser

Paul Hindemith, Op. 24 No 2

I

30928

B. Schott's Söhne, Mainz, 1960, Ed. 3437

```
Heussenstamm, George (1926) USA
                    - Instabilities                        Seesaw
                    - Callichorso                          Seesaw
Hewitt-Jones, Tomy  (1926)
                    - Theme and Variations, 1965           Mills 1966
Heyl, Manfred       (1908) D
                    - Quintett, op. 26, C-Dur              Selbstverlag'50
Hidas, Frigyes      (1928) H
                    - Bläserquintett Nr. 1, 1961           Mss (Contemp.
                    - Bläserquintett Nr. 2, 1969           Hungar. Comp.)
Hillman, Karl       (1867 - ?)
                    - Capriccio, op. 56                    André 1923
Hindemith, Paul     (1895 - 1963) D
                    - Kleine Kammermusik für fünf
                      Bläser, op. 24/2, 1922               Schott 1960
                    o: BASF 25 21 639-2, Danzi Quintett
                    o: GSGC 14034 / GGC 4034
                       Haifa Wind Quintet
                    o: Con.-Disc 205
                       New York Woodwind Quintet
                    o: Coro-S-1408
                       Oberlin Faculty Woodwind Quintet
                    o: Crys. S-601
                       Westwood Wind Quintet
                    o: Chr SCGLP 75 867
                       Bläserquintett des SWF
                    o: Supraphon SV 8413 G / DV 5854 G
                       Bläserquintett d. Tschech. Philh.
                    o: ML 5093
                       Philadelphia Woodwind Quintet
Hipman, Silvestr    (1893) CS
                    - Čáslav-Suite, op. 11, 1939           HM / ČHF
Hirao, Kishio       (1907 - 1953) J
                    - Quintet                              (Vester)
Hirner, Teodor      (1910)
                    - Wind Quintet, 1960                   (Peters)
Hirsch, Hans Ludwig (1937) D
                    - Quintetto sereno, 1964               Peters 1967
Hirsh, Harry
                    - Nocturne                             Briegel 1940
                    - Turtle Dove                          McGinnis & Marx
Hlaváč, Josef       (1923) CS
                    - Variationen für Bläserquintett Ms (ČHS)
Hlaváč, Miroslav    (1923) CS
                    - Bläserquintett, 1970                 ČHF 1974
Hlobil, Emil        (1901) CS
                    - Bläserquintett, op. 20, 1940         ČHF 1950/60
```

```
Hlouschek, Theodor    (1923) D
                      - Heitere Variationen über den    Peters,
                        Postillionwalzer                Leipzig 1970

Höfer, Harry          (1921) D
                      - Koordinaten, 1952        35'    Ms

Høffding, Finn        (1899) DK
                      - Quintett, op. 35                Skand. 1948
                      - Quintett Nr. 2, op. 53, 1955    Skandinavisk
                      - Quintett, op. 36, 1932          (Libr. of Congr.)

Höffer, Paul          (1895 - 1949) D
                      - Variationen über ein Thema
                        von Beethoven, 1947             Litolff 1956

Hoffman, Earl A.
                      - Scherzo, 1965                   (Libr. of Congr.)

Hofmann, Wolfgang     (1922) D
                      - Serenade, 1963           15'    Sirius

Hohen, Karl
                      - Little Suite for Wind Quintet Ms (Mich. State U.)

Hohensee, Wolfgang    (1927) D
                      - Bläserquintett D-Dur, 1952      Breitkopf 1964

Hoiby, Lee            (1926) USA
                      - Diversions, 1954                (Schäffer)

Holbrooke, Josef      (1878 - 1958) England
                      - Characteristic Miniatur Suite,
                        op. 33 b , 1904                 Bromley 1931

Holder, N. H. Derwyn
                      - Quintet No. 1, 1963             (Libr. of Congr.)

Höller, Karl          (1907) D
                      - Serenade, op. 42 a              Müller

Holliger, Heinz       (1939) CH
                      - Bläserquintett "h", 1968   9'   Schott 1973

Holm, Mogens Winkel   (1936) DK
                      - Sonata I, op. 25, 1968          Hansen

Holmboe, Vagn         (1909) DK
                      - Notturno, op. 19, 1940          Viking 1948
                      - Aspekte, op. 72, 1957           (Paclt; Riemann)

Holoubek, Ladislav    (1913) CS
                      - Bläserquintett, op. 20, 1938    (Schäffer)

Holst, Gustav Theodore (1874 - 1934) England
                      - Quintet, op. 14, 1903           (Schäffer)

Horký, Karel          (1909) CS
                      - Suite für Quintett, 1943        (Gardavský)

Hosmer, James B.      (1911) USA
                      - Fugue C major                   Gamble
```

Hovhaness, Alan   (1911) USA
- Quintet, op. 159   Peters 1967

Hovland, Egil   (1924) N
- Quintett, op. 50, 1965   14'30"   Norsk 1968
  o: Philips 839.248 AY

Howard, Dean C.
- Quintet, 1958   (Peters)

Howden, Bruce
- Three for Five   Ms (Houser)

Howe, Mary   (1882 - 1964) USA
- For Four Woodwinds and French
  Horn   (Libr. of Congr.)

Hoyer, Karl   (1891 - 1936) D
- Serenade F-Dur, op. 29   Benjamin 1966

Hriberschek Ágústsson, Herbert (1926) A / IS
- Quintet for Woodwinds, 1968   Iceland Music

Hrisanide, Alexandru (1936) R
- Directions, 1970   15'30"   Gerig 1976

Hruška, Jaromír   (1910) CS
- Bläserquintett, 1950   18'   ČHF

Huber, Klaus   (1924) CH
- 3 Sätze in 2 Teilen, 1958 16'   Bärenreiter 1962

Huber, Paul   (1918) CH
- Bläserquintett   16'   Ms: SMA
- Kleine Ballettmusik "Gallus
  pugnans", 1959   11'   Ms: SMA

Huber, Walter-Simon   (1898) CH
- Variationen über eine heitere
  Volksweise aus dem Haslital,
  1973   7'   Ms: SMA

Hueber, Kurt Anton   (1928) A
- Bläserquintett Nr. 1   15'   Selbstverlag

Huffer, Fred K.
- Divertissement   Witmark 1934
- Sailor's Hornpipe   McGinnis & Marx

Huguenin, Charles
- Deux Pièces, op. 21   Andraud
- Souvenir d'Auvergne   Andraud

Hůla, Zdeněk   (1901) CS
- Four Fairytale Moods, 1941   (Gardavský)

Hummel, Bertold   (1925) D
- Quintett, 1962   Benjamin 1966

Hunter, Eugene
- Danse Humoreske   Fischer 1970

trois pièces brèves

I

Jacques Ibert

Copyright by A. Leduc & Cie 1930.

Paris, ALPHONSE LEDUC,
Editions Musicales,
175, rue St Honoré.
(près l'Avenue de l'Opéra)

A. L. 17,772

*Tous droits d'exécution,
de reproduction, de trans-
cription et d'adaptation
réservés pour tous pays.*

```
Hurník, Ilja         (1922) CS
                     - Bläserquintett Nr. 1, op. 11
                       1944                            (Kratochvíl)
                     - Bläserquintett Nr. 2, op. 20
                       1949                            ČHF 1956
                     - Die vier Jahreszeiten, 1952     ČHF 1956
                       o: Supraphon
                     - Launische Musik                 ČHF

Huse, Peter          CDN
                     - Recurrences for Wind Quintet
                       1966                  18'30"     Ms: CMC
                       o: CMC tape

Huston, Scott        (1916) USA
                     - Four Conversations              Boosey & Hawkes

Huybrechts, Albert   (1899 - 1938) B
                     - Quintett, 1936          13'      CBDM 1956

Ibert, Jacques       (1890 - 1962) F
                     - Trois pièces brèves, 1930
                                             7'20"      Leduc
                       o: DM 5741 C Supraphon
                       Bläserquintett d. Tschech. Philh.
                       o: Turn. 34507
                       Dorian Wind Quintet
                       o: Ev. 3092
                       New York Woodwind Quintet
                       o: Mace S-9053
                       Haifa Wind Quintet
                       o: ML 5093
                       Philadelphia Woodwind Quintet

Ikonomov, Bojan G.   (1900 - 1973) BG
                     - Kleine Suite, 1950              (Paclt)

Illín, Evžen         (1924) CS
                     - Bläserquintett, 1949            (Gardavský)
                     - Kindersuite, 1952               (Gardavský)

Inch, Herbert Reynolds (1904) USA
                     - Divertimento                    (Schäffer)

Ingenhoven, Jan      (1876 - 1951) NL
                     - Quintett C-Dur, 1911            Tischer & J.

Ioannidis, Yannis    (1930) YV
                     - Actinia, 1969           10'     Gerig 1971

Ippisch, Franz       (1883 - 1958) A
                     - Quintett, 1926                  (Rasmussen)

Ipuche-Riva, Pedro   (1924) U
                     - Animales ilustres, 1967         (Riemann)

Ištván, Miloslav     (1928) CS
                     - Omaggio a J. S. Bach, 1971      ČHF
```

```
Ivey, Jean              (1923)
                        - Suite for Woodwind Quintet    NACWPI

Jacob, Gordon           (1895) England
                        - Quintet                       Boosey & Hawkes

Jacobi, Frederick       (1891 - 1952) USA
                        - Scherzo, 1936                 Fischer 1970

Jacobson, Maurice       (1896) England
                        - Four Pieces                   Curwen ca. 1930

Jacoby, Hanoch          (1909) IL
                        - Quintet, 1946                 IMP 1951
                        o: RCA, Israel Woodwind Quintet

Jaeckel, Robert         (1896 - 1970) A
                        - Bläserquintett, 1952          (Riemann)

James, Philip           (1890) USA
                        - Suite, 1936          15'      Fischer 1970

Jangen, Joseph
                        - Two Pieces, op. 98            Southern Music
                        - Concerto, op. 124            Southern Music

Jansons, Andrejs        USA
                        - Suite of old Lettish Dances 10' Rep: Phoenix

Járdányi, Pál           (1920 - 1966) H
                        - Phantasie und Variationen über
                        ein ungarisches Volkslied, 1955 EMB 1958

Jelescu, Paul           (1901) R
                        - 12 Variationen, 1960          (Cosma)

Jersild, Jørgen         (1913) DK
                        - Serenade, im Walde zu spielen  Hansen

Jettel, Rudolf          (1903) A
                        - Quintett                      Doblinger/
                                                        Weinberger
                        - 2. Bläserquintett             Doblinger
                        - 3. Bläserquintett             Eulenburg

Ježek, Jaroslav         (1906 - 1942) CS
                        - Bläserquintett, 1931          (Riemann)

Jíra, Milan             (1935) CS
                        - 3. Bläserquintett             ČHF 1974

Jirák, Karel Boleslav   (1891 - 1972) CS
                        - Bläserquintett, op. 34, 1928  Andraud *

Jirko, Ivan             (1926) CS
                        - Bläserquintett, 1948          Ms (Kratochvíl)
                        - Suite, 1956          12'      Panton 1965

Jirková, Olga           (1926) CS
                        - Variationen. 1967    12'      ČHF

Jírovec, Vojtěch M.     (Adalbert Gyrowetz)(1763 - 1850)Böhmen
                        - Kassation (arr.)              (Peters; Bayer.
                                                        Rundfunk)
```

```
Joachim, Otto          (1910) CDN
                       - Divertimento, 1962          Ms: CMC
Jodál, Gábor           (1913) R
                       - Suite, 1966                 (Cosma)
Jofe, S.
                       - Four Miniatures             Ms, Rep: Israel
                                                     Woodwind Quintet
Johanson, Sven-Eric    (1919) S
                       - Quintett, 1964         8'   Ms: STIM
Johansson, Björn       (1913) S
                       - Concertino, 1963       9'   Ms: FST
John, Fritz            D
                       - Sammlung klassischer Stücke   Hofmeister,
                       alter Meister für Bläserquintett Leipzig 1974
Johnsen, Hallvard      (1916) N
                       - Serenade, op. 37, 1962  12'  NMIC
                       - 2. Bläserquintett            (Riemann)
Johnson, Clyde Earl    (1930)
                       - Quintet, 1957 and Ouverture
                       in C                           (Peters)
Johnson, Eleanor
                       - Legend of Erin               Belwin
Johnson, H. M.
                       - Quintet C major              Fischer 1970
Johnson, Robert Louis
                       - Suite, 1963                  (Libr. of Congr.)
Johnson, Roger         (1941) USA
                       - Woodwind Quintet
                       o: CRI S-293, Dorian Quintet
Johnston, Jack R.      (1935)
                       - Synergism No. 1              Contemp. Music
Jolivet, André         (1905 - 1974) F
                       - Sérénade, 1945               Lecour 1946/
                                                      Billaudot
Jonák, Zdeněk          (1917) CS
                       - Bläserquintett, 1964         (Gardavský)
Jones, Charles         (1910) USA
                       - Five Waltzes, 1948           (Riemann)
Jones, Kelsey          (1922) CDN
                       - Quintet for Winds, 1968  13' Peters/L '73
Jones, Kenneth V.      (1924)
                       - Two Quintets                 (Rasmussen)
Jones, Tom
                       - Quintet for Woodwinds        Ms: U. of Wisc.
Jones, Wendal S.
                       - Wind Quintet, 1960           Ms: U. of Iowa
```

Jong, Marinus de	(1891) B			
	- Quintett, op. 81, 1952	25'	CBDM 1969	
	- Aphoristische Triptiek,			
	op. 82 b, 1953	11'	CBDM 1964	
	- Aus niederländischen Volks-			
	liedern, 1963	6'	CBDM 1969	
	- Quintett Nr. 3, op. 157, 1971		CBDM 1976	

Jong, Marinus de (1891) B
- Quintett, op. 81, 1952 25' CBDM 1969
- Aphoristische Triptiek, op. 82 b, 1953 11' CBDM 1964
- Aus niederländischen Volksliedern, 1963 6' CBDM 1969
- Quintett Nr. 3, op. 157, 1971 CBDM 1976

Jongen, Joseph (1873 - 1953) B
- Préambule et Danse, op. 98, 1933 16' Andraud 1937
- Concerto, op. 124, 1942 17' Andraud 1948
- Quintet Elkan 1976

Joplin, Scott (1868 - 1917) USA
- Ragtime Dance, 1899 (arr. Mabry) 3'15" Shawnee 1975

Jörg, E.
- "Kume, kum ..." für Bläserquintett Rep: Stuttgarter Bläserquintett

Josephs, Wilfred
- Wry Rumba, 1967 4' New Wind

Josif, Enriko (1924) YU
- Divertimento, 1964 (Riemann)

Josten, Werner (1885 - 1963) USA
- Quintet Elkan

Jrgutis, Vytautas Litauen / Lithuania ČHF
- Quintet Rep: Phoenix

Jungk, Klaus (1916) D
- Chaconne Sikorski 1966
- Quintett 18' Mannheimer 1976

Juon, Paul (1872 - 1940) CH
- Quintett B-Dur, op. 84, 1930 Birnbach 1930

Kadosa, Pál (1903) H
- Quintett, op. 49 a, 1954 EMB 1967

Kalabis, Viktor (1923) CS
- Divertimento Nr. 10, 1952 17' ČHF 1956
  o: Supraphon DV 5484
     Bläserquintett d. Tschech. Philh.
- Kleine Kammermusik, op. 27, 1967 7' Supraphon 1969
  o: Supraphon 1 11 1426
     Prager Bläserquintett

Kaleve, Gustav (1884 - 1976) Lothringen
- Suite, op. 9 (Brüchle)
- Serenade, op. 12 (Brüchle)

Kallstenius, Edvin (1881 - 1967) S
- Divertimento, op. 29, 1943/60 15' FST

```
Kalsons, Romualds
                  - Quintet for Winds          Rep: Phoenix
Kaňák, Zdeněk      (1910) CS
                  - Bläserquintett, 1933       (Gardavský)
Kanharowitsch
                  - Aquarelles                 Andraud *
Kanitz, Ernest    (1894) A
                  - Quintettino, 1945          (Peters)
Kapp, Vilám Chansovič (Bjelsky)(1913) SU
                  - Suite               9'     Muzgiz 1959
Kapr, Jan         (1914) CS
                  - Suita, 1940                (Kratochvíl)
Kardoš, Dezider   (1914) CS
                  - Quintett, op. 6, 1938      (Riemann)
Kardos, István    (1891) H
                  - Quintett, 1959             Ms (Contemp. Hung.)
Karkoff, Maurice I. (1927) S
                  - Quintett, op. 24, 1956-57  FST
                  - Divertimento, op. 29, 1957  6' Ms: STIM
                  - Serenata piccola, op. 34 c,
                    1959-62                    FST
Karkoschka, Erhard (1923) D
                  - Bläserquintett, 1952       Tonos 1969
                  - Antinomie, 1968            Tonos 1969
                    o: RBM 3 020
                       Stuttgarter Bläserquintett
                  - Vier Aufgaben für fünf Spieler, Rep: Stuttgart.
                    1971                       Bläserquintett
Karline, M. William
                  - Quintet, 1970              ACA 1977
Karren, L.
                  - Petit Conte Breton         Evette 1910
Kasemets, Udo     (1919) CDN
                  - Quintet for Wind Instruments,
                    op. 48, 1957        9'     Ms: CMC
                    o: RCI 218 Can. Coll.
Kauder, Hugo      (1888 - 1972) A / USA
                  - Variationen über ein Tanzlied
                    aus L. Mozarts Notenbuch,
                    1938                 8'     Seesaw 1974
Kauffmann, Fritz  (1855 - 1934) D
                  - Quintett Es-Dur, op. 40    Heinrichsh.'05
Kauffmann, Leo Justinus (1901 - 1944) D
                  - Quintett, 1943             UE 1969
                    o: GC S-4076
                       Clarion Wind Quintet
```

Kessler, Augustin   D
                       - Bläserquintett   (Bayer. Rundf.)

Kettering, Eunice
                       - South of the Border Suite   Pan Pipes 1967

Ketting, Otto   (1935) NL
                       - A Set of Pieces, 1968   15' Donemus 1972

Kiesewetter, Tomasz   (1911) PL
                       - Bläserquintett, 1951   (Schäffer)

Kilar, Wojciech   (1932) PL
                       - Bläserquintett, 1952   PWM

King, Harold C.   (1895) NL
                       - Quintett, 1949   16'   Donemus

Kingman, Daniel   USA
                       - Quintet   Avant 1964

Kirby, Percival Robson (1887) Scotland
                       - Miniature Suite   (Rasmussen)

Kirby, Suzanne Thuot
                       - Elfin Dance   AMP 1964

Kittler, Richard   A
                       - Divertimento für 5 Bläser   16' DAP
                       - "Dreißig", 6 Miniaturen für
                         Bläserquintett   (ORF)

Kjellberg, J.   S
                       - Quintett   Ms: FST

Klebe, Giselher   (1925) D
                       - Quintett, op. 3, 1948   (Riemann)

Klein, Lothar   (1932) USA
                       - Quintet for Winds   (Royal Conserv.
                                                           Toronto)

Klein, Richard Rudolf (1921) D
                       - Fantasie, 1971   (Riemann)

Kleinheinz, Franz Xaver (1765 - 1832) D
                       - Bläserquintett   (Kurtz; Riemann)

Klimko, Ronald   (1936)
                       - A Child's Garden of Weeds, 1964   Mss: Univ. of
                       - Quintet, 1965   Wisconsin

Klughardt, August Friedrich (1847 - 1902) D
                       - Quintett C-Dur, op. 79   Zimmermann 1967
                         o: Colos O 618
                         Bläserquintett d Nürnberger Symph.
                         o: FSM 53 5 10
                         Bonner Bläser-Kammermusik
                         o: Classic Ed. 2020
                         New Art Wind Quintet

Klusák, Jan   (1934) CS
                       - II. Invention   (Prager Rundf.)

110

```
Kaufman, Walter        (1907) USA
                       - Partita                      Shawnee 1966
                       o: GC S-4075
                       American Woodwind Quintet

Kayn, Roland           (1933) D
                       - Inerziali per 5 esecutori    Moeck

Kazandžiev, Vasil Ivanov (1934) BG
                       - Bläserquintett, 1951         (Riemann)

Kazdin, Andrew
                       - Three Movements, 1957        (Libr. of Congr.)

Keckley, Gerald
                       - Dances in four rhythms, 1950 Ms: U. of Wash.

Keetbaas, Dirk         (1921) CDN
                       - Quintet, 1961                Ms: CMC

Keith, George D.
                       - Quintet                      Boosey 1966

Keldorfer, Robert      (1901) A
                       - Musik für fünf Bläser, 1968
                                            10'30"     Doblinger 1970
                       - II. Bläserquintett, 1973 14'  Ms

Kelemen, Milko         (1924) YU
                       - Etudes contrapunctiques, 1959 Ars Viva 1967
                       - Entrances, 1965              Peters 1970

Keller, Heinrich       CH
                       - Bläserquintett               (Schweizer
                                                      Rundfunk 1973)

Keller, Homer          (1915) USA
                       - Interplay
                       o: Advance 11

Kelly, Robert          (1916) USA
                       - Passacaglia and Fugue        ACA 1977

Kelterborn, Rudolf     (1931) CH
                       - 7 Bagatellen, 1957      12'  Modern 1958
                       - Kammermusik für 5 Bläser,    Ms, Rep: Stadler-
                       1974                           Quintett

Kennedy, David E.
                       - Wind Quintet in A            Ms: U. of Iowa

Kennan, Kent
                       - Quintet                      (Houser)

Kern, Frieda           A
                       - Bläserquintett, op. 25   15' Grosch 1942
                       - Thema mit Variationen, op.82 11'Ms: ÖKB

Kern, Jerome David     (1885 - 1945) USA
                       - Waltz in Swing Time (Harris) McGinnis & Marx

Kersters, Willem       (1929) B
                       - Quintett, op. 5, 1954    12' CBDM 1969
```

```
Komma, Karl Michael   (1913) D
                      - Divertimento, 1955          Ichthys 1957
Konjović, Petar       (1883 - 1970) YU
                      - 2 Suiten "Sommerliche Nächte",
                        1940, 1945                   (Riemann)
Kont, Paul            (1920) A
                      - Quintett in memoriam Franz
                        Danzi, 1961           14'    Doblinger 1963
                      - Suite über "E"         8'    Ms: ÖKB
                      - Holzmusik II, Nr. 4   12'    Ms: ÖKB
Kopelent, Marek       (1932) CS
                      - Kleine Pantomimen             ČHF
Köper, Karl Heinz     (1927) D
                      - Bläser-Quintett, 1957  15'   Köper
Kopp, Frederick
                      - Conversations                 Seesaw
                      - Passacaglia in the Olden Style Seesaw
                      - Three Movements for Quintet    Seesaw
Koppel, Hermann David (1908) DK
                      - Sonatina, op. 16, 1932        Skandinavisk
Korda, Viktor         (1900) A
                      - Divertimento           15'   Doblinger 1967
                        o: ÖKB Serie III
Kořínek, Miloslav     (1925) CS
                      - Bläserquintett                Ms: Bläserquintett
                                                      Bratislava
Koringer, Franz       (1921) A
                      - 5 Aphorismen                  Ms: Steir. Tonk.
Korn, Peter Jona      (1922) D / USA
                      - Bläserquintett, op. 40, 1966  Peters 1977
Korsós, Elemér
                      - "Das Ich"                     Selbstverl.'60
Korte, Karl           (1928)
                      - Two Encores, 1961             Contemp. Music
                      - Matrix,  o: CRI S-249
                        New York Woodwind Quintet
Kósa, György          (1897) H
                      - Bläserquintett Nr. 1, 1955    (Contemp. Hungar.
                      - Bläserquintett Nr. 2, 1960    Composers)
Kosteck, Gregory
                      - Quintet                       Ms: E. Carolina U.
Kostić, Vojislav      (1931) YU
                      - Bläserquintett, 1962          (Paclt)
Kotónski, Włodzimierz (1925) PL
                      - Quintett, 1964          9'   PWM 1966/70
                        o: MUZA XW 572
                      - Bläserquintett, 1967          (Riemann)
```

```
                         - V. Invention "Schachspiel",
                           1965                    5'   ČHF 1972
                           o: Panton 01 0253 / 11 0253
                           Prager Bläserquintett
                         - Divertimento "Musik zur
                           Fontäne", 1954                ČHF
Knight, Morris           (1933)
                         - Three Mood Pieces             Tritone 1962

Knorr, Ernst-Lothar Carl von (1896 - 1973) D
                         - Bläserquintett, 1958          (Riemann)

Koch, Frederick          (1924) USA
                         - Scherzo                       General Music

Kocsár, Miklós           (1933) H
                         - Bläserquintett, 1956/59       EMB 1971
                         - Variazioni, 1968              EMB 1975

Kodály, Zoltán           (1882 - 1967) H
                         - Zongora Muzsika No. 2
                           (arr. Elkan)                  Elkan 1976

Koenig, Gottfried M.     (1926) D
                         - Bläserquintett Nr. 2, 1965    (Riemann)

Koetsier, Jan            (1911) NL
                         - Divertimento, op. 16/1,
                           1937                    16'   Donemus 1965
                         - 2. Divertimento, op. 35/1,
                           1947                    14'   Donemus 1965

Kofroň, Jaroslav         (1921) CS
                         - Furiant-Quintett              (Prager Rundf.)

Köhler, Wolfgang         (1923) D
                         - Quintett, 1949                (Schäffer)

Kohn, Karl               (1926) USA
                         - Little Suite, 1963            Ms: Mich. State
                           o: Orion 7263                 University
                           Los Angeles Wind Quintet

Kohout, Josef            (1895 - 1958) CS
                         - Concert-Suite, 1937           (Gardavský)
                         - Variationen über ein
                           tschechisches Volkslied, 1945 ČHF
                         - 6 Miniaturen, op. 17, 1947    Hofmeister 1967

Kohoutek, Ctirad         (1929) CS
                         - Suite, op. 16, 1958     16'   Panton 1966

Kohs, Ellis Bonoff       (1916) USA
                         - Woodwind Quintet              ACA 1977

Kokkonen, Joonas         (1921) SF
                         - Quintetto per fiati
                           o: Disco B 0 011
                           Helsinki-Quintett
```

```
Kötschau, Joachim      (1905)
                       - Quintett, op. 14            Zimmermann

Kounadis, Arghyris P. (1924) GR
                       - "Wer Ohren hat zu hören, der höre"
                       1970                          Bote & Bock 1971

Koželuha, Lubomír      (1918) CS
                       - Bläserquintett, 1962       (Gardavský)

Kraehenbuehl, David    (1923)
                       - Canzona, 1953              (Rasmussen)

Kraft, Karl Joseph     (1903) D
                       - Divertimento Nr. 4, B-Dur, 1943 (Rasmussen)

Kraft, Leo             (1923) USA
                       - Partita No. 3, 1964        General 1969
                       o: Ser. 12037
                         New Wind Quintet

Kramář, František      (Krommer) (1759 - 1831) Böhmen / Bohemia
                       - Serenade (arr.)            (Prager Rundf.)

Kratochvíl, Jiří       (1924) CS
                       - Präludium, 1956            (Kratochvíl)

Krause-Graumnitz, Heinz (1911) D
                       - Quintett Nr. 1             Breitkopf & H.,
                                                    Leipzig 1965

Krebs, Helmut          (1913) D
                       - Bläser-Quintett, op. 33, 1967
                                           14'       Astoria

Kreisler, A. von
                       - Quintet                    Southern 1964
                       - Chorale, Prelude and Fugue Southern 1966
                       - Humorous March             Southern 1965
                       - Possum Trot                Southern 1965
                       - Fable                      Southern 1965
                       - Pastorale                  Southern 1965
                       - Triptych                   Southern 1967
                       - Two Portraits              Southern 1967

Krejčí, Iša            (1904 - 1968) CS
                       - Bläserquintett, 1964       Panton 1971
                       - Bläserquintett Nr. 2       (Prager Rundf.)

Krejčí, Miroslav       (1891 - 1964) CS
                       - Divertimento, op. 17, 1926 (Kratochvíl)
                       - Serenade, op. 63 b, Es-Dur, 1944 (Kratochvíl)

Krek, Uroš             (1922) YU
                       - Episodi concertanti        12'  DSS 1971

Křenek, Ernst          (1900) A / USA
                       - Pentagram for Winds, op. 163,
                       1951/57                      Bärenreiter 1963
                       o: Lyr. S-158
                         Soni Ventorum Quintet
                       - Alpbach-Quintett, op. 180,
                       1962                         UE 1962
```

114

Křička, Jaroslav	(1882 - 1969) CS	
	- Die Wespe	Artia
	- Divertimento, op. 99, 1950	(Riemann)
	- Don Quijote	(Kratochvíl)
Křivinka, Gustav	(1928) CS	
	- Musik für Bläserquintett, 1974 (Prager Rundf.)	
Kroeger, Karl		
	- Five Short Pieces	Tritone 1961
Krol, Bernhard	(1920) D	
	- Divertimento, 1944 10'	Ms
Kröll, Georg	(1934) D	
	- Invocazioni, 1969	Ars Viva 1973
Kropfreiter, Augustin Franz (1936) A		
	- Quintett, 1968	Doblinger 1974
Kubik, Gail T.	(1914) USA	
	- Quintet, 1937	(Reis)
Kubizek, Augustin	(1918) A	
	- Kammerquintett, op. 15,	
	1962 16'	Doblinger 1962
Kügerl, Hannes	(1906) A	
	- Quintettsatz	(ORF)
Kuhn, Max	CH	
	- Serenata notturna, 1956 12'	Eulenburg
Kühnel, Emil	(1881 - 1965) D	
	- Deutsche Ostseebilder, kleine	
	Suite, op. 29	Grosch 1942
Kuljerić, Igor	(1938) YU	
	- "A 5", 1971	Ms: ZAMP
Kunad, Rainer	(1936) D	
	- Musik für Bläser in drei Sätzen,	
	1965, o: Eterna	DVfM 1966
Kunc, Jan	(1883 - 1977) CS	
	- Miniaturen für Bläserquintett,	
	op. 39, 1958	(SČSKU)
Kunert, Kurt	(1911) D	
	- Quintett, op. 14, D-Dur, 1948	Grosch 1952
	- Quintett Nr. 2, op. 17, 1959	Hofmeister 1963
	- Divertimento, op. 18, Nr. 2	Hofmeister 1963
	- Quintett Nr. 4, 1955	Hofmeister 1963
	- Suite, 1959	(Vester)
Kunz, Alfred	(1929) CDN	
	- Quintet, 1964	Ms: CMC
Kupferman, Meyer	(1926) USA	
	- Woodwind Quintet	
	o: Serenus 12044	
	Ariel Quintet	

115

Franz Lachner

```
Kuri-Aldana, Mario   (1931) MEX
                     - Candelaria Suite              Musica Rara
Kurtág, György       (1926) H
                     - Quintett, op. 2, 1959         EMB 1962
Kurz, Siegfried      (1930) D
                     - Quintett, op. 12, 1950        (Riemann)
                       o: Eterna 8 25 883
Kutev, Filip         (1903) BG
                     - Bläserquintett, 1930          (Riemann)
Kvandal, Johan       (1919) N
                     - Three Religious Folk Tunes,
                       op. 23 b, 1964          8'    Ms: NMIC
                     - Wind Quintet, op. 34, 1971 18'  Norsk
Kvapil, Jaroslav     (1892 - 1958) CS
                     - Quintett Nr. 1, f-Moll, 1925  (ČHS I)
                     - Quintett Nr. 2, 1935          (Riemann)
Kvěch, Otomar        (1950) CS
                     - Kvintetiáda, 1975             ČHF

Labate, Bruno
                     - Intermezzo, No. 2             Mills 1954
Labey, Jean Marcel   (1875 - 1968) F
                     - Quintette à vent, 1922        Eschig
Lacerda, Osvaldo     (1927) BR
                     - Variations and Fugue      9'  PAU/Peer 1965
Lachner, Franz Paul  (1803 - 1890) D
                     - Quintett in F, 1823           Mss: Bayer.
                     - Quintett, 1824                Staatsbibl.
                     - Quintett in Es, 1829          München
Laderman, Ezra       (1924) USA
                     - Woodwind Sketches             ACA
Laks, Szymon         (1901) PL
                     - Quintet, 1929                 (Rasmussen)
Landa, Fabio         C
                     - Drei Stücke aus Kuba          ČHF 1973
Landau, Victor       USA
                     - Partita                       ACA
Landré, Guillaume L. F. (1905 - 1968) NL
                     - Quintett, 1930           15'  Donemus 1965
                     - Quintett, 1960           11'  Donemus 1965
Láng, István         (1933) H
                     - Bläserquintett Nr. 1, 1964    EMB 1965
                     - Bläserquintett Nr. 2, 1965
                       "Transfigurazioni                EMB 1967
```

```
Lang, Max              CH
                       - Drei Sätze für Bläserquintett,
                       1968                15'   Selbstverlag

Lange, Hans            (1884 - 1960) D / USA
                       - Bläserquintett D-Dur, op. 14    Selbstverl.'37
                       - Böhmische Musikanten, As-Dur,
                       op. 40                            Selbstverl.'37

Lannoy, Robert-Lucien (1915) F
                       - Sinfonietta                     (Schäffer)

Larsson, Lars-Erik     (1908) S
                       - Quattro Tempi, op. 55, 1968 15'  Gehrmans 1969

Lassen, Robert
                       - Quintet, op. 3, 1965            (Libr. of Congr.)

Lasso, Orlando di      (1532 - 1594)
                       - Fantasia (arr. Weait)          Rep: Phoenix
                       o: Kaibala Records 20 B 01
                          The Phoenix Woodwind Quintet

Lätte, Raimond
                       - Quintet, op. 30, 1970          Rep: Phoenix

Lauber, Joseph         (1864 - 1952) CH
                       - Quintett                19'50"  Ms: SMA

Laudenslager, Harold
                       - Quintet                         Cor 1963

Laurischkus, Max       (1876 - 1929) D
                       - Aus Litauen, Suite, op. 23      Benjamin 1966

Lavender, William Davis (1921)
                       - Divertimento                   (Libr. of Congr.)

Lavista, Mario         (1943) MEX
                       - Divertimento, 1968             (Riemann)

Lawson, Robert D.
                       - Woodwind Quintet               (Peters)

Lazarof, Henri         (1932) IL
                       - Concertino da Camera            IMP 1965

Leduc, Jacques         (1932) B
                       - Quintett, op. 4, 1960  14'30"   Maurer 1960

Lees, Benjamin         (1924) USA
                       - Due Miniature                   Boosey 1974

Lefèbvre, Charles Edouard (1843 - 1917) F
                       - Suite, op. 57                   Fischer 1970
                       - Prelude from 2nd Suite,
                       op. 122 (arr. Waln)               Kjos 1967

Legley, Victor         (1915) B
                       - Quintett, op. 58, 1961    12'   CBDM 1963
```

```
Lehmann, Hans Ulrich  (1937) CH
                      - Episoden, 1964              12'    Ars Viva 1965
                      - "gegen-(bei-)spiele"               (Schweiz. Rundf.)

Leib, Nachmann        (1905) R
                      - Bläserquintett, op. 31, 1968  (Cosma)

Leibowitz, René       (1913) F
                      - Quintette, op. 11, 1944            Bomart 1958; UE

Leichtling, Alan
                      - Quintet No. 3                      Seesaw 1966

Leitermeyer, Fritz  A
                      - Divertimento, op. 38        16'    Doblinger 1977

Lemba, Artur          (1885 - 1963) Estland / Estonia
                      - Suite, 1956                        (Riemann)

Lemeland, Aubert      (1932) F
                      - Musique nocturne                   Billaudot 1976

Lendvai, Erwin        (1882 - 1949) H
                      - Quintett As-Dur, op. 23            Simrock 1922

León, Argeliers       (1918) C
                      - Woodwind Quintet, 1959             (Riemann)

Lessard, John         (1920) USA
                      - Partita, 1952                      General Music
                        o: Ser. 12008
                           Flagello, Sinf. Roma
                      - Wind Quintet II
                        o: Ser. 12032
                           New York Woodwind Quintet

Leukauf, Robert       (1902) A
                      - Bläserquintett, op. 25,
                        1947                        17'    Doblinger 1966

Levy, Frank
                      - Lovelette (Riebold)                Belwin

Lewis, Peter Todd     (1932) USA
                      - Contrasts                          ACA 1977
                      - Five Movements                     ACA 1977

Lewin, G.
                      - Quintet                            Andraud *

Lhotka, Fran          (1883 - 1962) YU
                      - Pastoral and Scherzo, 1949   (Riemann)

Lickl, Johann Georg   (1769 - 1843) A
                      - Quintetto concertante F-Dur   Kneusslin 1966

Liedbeck, Sixten      (1916) S
                      - Impromptu, 1948                    Ms: FST

Ligeti, György        (1923) H / A
                      - 6 Bagatellen, 1953                 Schott
                      - 10 Stücke, 1968           13'45"   Schott 1969
                        o: Wer 60 059, Bläserquintett des SWF
```

```
Lilge, Hermann          (1870)
                        - Variationen und Fuge, op. 67    Kistner 1937
Lilien, Ignace          (1897 - 1964) NL
                        - Voyage au printemps, 1950   16'   Donemus 1965
                        - Quintetto No. 2, 1952       12'   Donemus 1965
Lindgren, Olof          S
                        - Suite g-Moll, op. 1, 1958   35'   STIM 1976
Lindner, Friedrich      (1795 - 1846)
                        - Quintett B-Dur, op. 1              Hofmeister *
Linke, Norbert          (1933) D
                        - Bläserquintett in einem Satz,
                          1970                        11'   Gerig 1976
Linn, Robert            (1925) USA
                        - Woodwind Quintet                  Pillin 1970
                          o: Crystal S-811
                          Westwood Quintet
Liszt, Franz            (1811 - 1886) H
                        - 3 Morceaux tirés des Années
                          de Pèlerinage (arr. Lassen)       Schott 1874
                        - Pastorale from "Les Préludes"
                          (arr. Hamilton)                   Galaxy
                        - Weihnachtslied (arr. Seay)        McGinnis & Marx
                        - Pastoral, Longing for Home,
                          Eclogue (arr.)                    Southern 1975
Ljadow, Anatolij        (1855 - 1914) Russland / Russia
                        - 8 russische Volkslieder
                          (arr. Gurfinkel)                  Muzgiz
Loboda, Samuel R.       (1916)
                        - Suite in Introspect, 1952         (Libr. of Congr.)
Lockwood, Norman        (1906) USA
                        - Fun Pieces for Woodwind Quintet ACA 1977
Lohse, Fred Otto        (1908) D
                        - Bläserquintett, 1961              Peters 1967
London, Edwin           USA
                        - Quintet, 1960                     (Libr. of Congr.)
London, Poul            (1904) DK
                        - "Tobak for en skilling"           Viking 1964
Longazo, George
                        - Quintet                           Ms: U. of Ind.
Lonquich, Heinz Martin (1937) D
                        - Bläserquintett "Missa",
                          1971                        21'   Gerig 1976
Lopes-Graça, Fernando (1906) P
                        - 7 Lembranças para Vieira da
                          Silva, 1966                       (Riemann)
Lora, Antonio           (1900 - 1965) USA
                        - Quintet                           ACA
                        - Six Dances                        ACA 1977
```

```
Lorenzo Fernândez, Oscar (1897 - 1948) BR
                 - Suite, op. 37, Nr. 2, 1926    AMP 1942

Lothar, Mark        (1902) D
                 - Spitzweg-Impressionen, op. 82   Bote & Bock

Louël, Jean         (1914) B
                 - Quintett, 1958          14'  CBDM 1960

Louvier, Alain      (1945) F
                 - Pentagone, 1966              (Riemann)

Lovec, Vladimir     (1922) YU
                 - Partita              9'   DSS 1976

Luckhardt, Hilmar   (1913)
                 - Woodwind Quintet No. 1, 1966   Ms: U. of Wisc.
                 - Woodwind Quintet No. 2      Rep: Wingra
                                   Woodwind Quintet
Lucký, Štěpán       (1919) CS
                 - Quintett-Suite, op. 11, 1946  SNKLHU 1957
                   o: Supraphon DV 5884 F   16'
                   Bläserquintett d. Tschech. Philh.
                 - Divertimento             ČHF

Ludewig, Wolfgang   (1926) D
                 - Mosaik für Bläserquintett,
                   1973/74               Bote & Bock

Luening, Otto       (1900) USA
                 - Fuguing Tune, 1941          AMP 1964

Lukáš, Zdeněk       (1928) CS
                 - Bläserquintett mit Triangel    Rep: Prager
                                   Bläserquintett
Lumsdaine, David    (1931) AUS
                 - Mandala 1, 1968            (Riemann)

Lunde, Ivar         (1944) N
                 - Petite Suite pour Cinq,
                   op. 23               8'   NMIC
                 - Serenade, op. 26         8'   NMIC
                 - Suite No. 2, op. 33       11'  NMIC

Lundén, Lennart     (1914 - 1966) S
                 - Variations on "Byssan Lull",
                   1958                Nordiska
                 - Three Swedish Tunes          Nordiska

Lundkvist, Per      (1916) S
                 - Quintett                FST

Lundquist, Torbjörn (1920) S
                 - Teamwork, 1967          10'  Ehrling 1968

Lustgarten, Egon    (1887 - 1961) A
                 - Variationen, Fantasie und     Ms: Österr.
                   Doppelfuge, op. 17, 1936      Nationalbibl.
```

```
Lustig, Mosche          (1922) IL
                        - Bläserquintett, 1945        (Riemann)
Lutosławski, Witold     (1913) PL
                        - Quintet, op. 45             Mills
Lutyens, Elisabeth      (1906) England
                        - Wind Quintet, op. 45, 1960  Mills
                        o: ZRG 5425 / RG 425 / Argo 5425
                        Leonardo Wind Quintet
Lysenko, N.             SU
                        - Suite                       Muzgiz
MacDonald, Malcolm      (1916)
                        - Divertimento                (Gregory)
MacDowell, Edward A.    (1861 - 1908) USA
                        - Idyl, op. 28, No. 2
                        (arr. Trinkaus)               McGinnis & Marx
Macero, Teo             (1925) USA
                        - Pieces for Children         ACA
Mach, Konstantin        (1915) D
                        - Bläserquintett, 1969        (Brüchle)
Mader, Jerry
                        - Bläserquintett Nr. 3, 1973  Rep: Wiener
                                                      Bläserquintett
Maegaard, Jan           (1926) DK
                        - Quintett, 1955              (Schäffer)
Maganini, Quinto E.     (1897) USA
                        - Berger et Bergère           McGinnis & Marx
                        - Fox Trot Burlesque          McGinnis & Marx
                        - Reverie (Harris)            Fischer 1970
Mägi, S.
                        - Ostinato                    Muzyka 1965
Mahoud, Parviz
                        - Quintet                     (Houser)
Mailman, Martin
                        - Woodwind Quintet            Pan Pipes 1969
Malige, Fred            (1895) D
                        - 4 Sätze                     (IMB)
                        - Bläserquintett Nr. 2        Breitkopf & Härtel,
                                                      Leipzig 1975
Malipiero, Gian Francesco (1882 - 1973) I
                        - Dialoghi IV, 1956           Ricordi 1957
Malipiero, Riccardo     (1914) I
                        - Musica da camera, 1958  11' Zerboni 1959
Malovec, Jozef          (1933) CS
                        - Cassation                   (Gardavský)
Mamiya, Michio          (1929) J
                        - Three Movements             (Libr. of Congr.)
```

```
Mamlock, Ursula
                    - Quintet for Wind Instruments   ACA 1977
Mandić, Josip       (1883 - 1959) Y U
                    - Quintett                       UE 1933
Manevich, Aleksandr (1908)
                    - Quintet                        Leeds 1959
Mangold, Wilhelm    (1796 - 1875) D
                    - Quintett D-Dur, Nr. 2          Schott *
Maniet, R.
                    - Quintett                       Maurer 1959
Mann, Leslie D.     (1923) CDN
                    - Four Studies in the Blues Idiom,
                      op. 23, 1969            13'  Ms: CMC
                      o: CMC tape
Manneke, Daniël     (1939) NL
                    - Walking in fogpatches, 1971    Donemus 1972
Maragno, Virtu
                    - Divertimento, 1952             (CA)
Marckhl, Erich      (1902) A
                    - Sonate für Bläserquintett
                                            15'40"  Doblinger 1968
Marco, Tomás        (1942) E
                    - Kukulcán, 1972                 Moeck 1974
Maréchal, Henri     (1842 - 1924) F
                    - Air du Guet, Thème provençal
                      attribué au Roi René           Heugel 1920
Marez Oyens, Tera de (1932) NL
                    - Two sketches, 1963             Donemus 1965
Marić, Ljubica      (1909) YU
                    - Quintett, 1932                 (Riemann)
Marie, Gabriel      (1852 - 1928) F
                    - Berceuse (Harris)              Fischer 1970
Marinov, Ivan       (1928) BG
                    - Suite, 1951                    (Paclt)
Marković, Adalbert  (1929) YU
                    - Carnival-Suite, 1956           Ms: MIC
                    - Wind Quintet, 1958             Ms: MIC
                    - Moments musicaux, 1966         Ms: MIC
Markowski, Andrzej  (1924) PL
                    - Bläserquintett, 1952           (Schäffer)
Máros, Miklós       (1943) H
                    - Quintetto per fiati, No. 1,
                      1962                           STIM 1976
Maros, Rudolf       (1917) H
                    - Musica leggiera, 1956          EMB 1967
                    - Consort, 1970         9'25"   Peer 1976
```

```
Martelli, Henri        (1895) F
                       - Quintette No. 1, 1948        (Vester)

Marti, Heinz           (1934) CH
                       - Madrigali, 1971       12'   Selbstverlag

Martin, Frank          (1890 - 1974) CH
                       - Prestissimo (arr. ?)         Belwin 1940

Martino, Donald J.     (1931) USA
                       - Concerto, 1964               Schirmer
                         o: CRI S-230
                         Weisberg Contemp. Ensemble

Martinon, Jean         (1910) F
                       - Doménon, op. 21, 1939        Braun/Billaudot

Maruta, Shozo          (1928) J
                       - Woodwind Quintet             Ongaku 1965

Marvia, Einari         (1915) SF
                       - Quintet, op. 8               Fazer

Marx, Karl             (1897) D
                       - Bläserquintett, op. 69, 1973 (Riemann)

Mason, Daniel Gregory  (1873 - 1953) USA
                       - Divertimento, op. 26 b, 1926 14'Witmark 1936

Massimo, Leone         (1896) I
                       - Musik für Bläserquintett, 1955 (Riemann)

Massis, Amable         (1893) F
                       - Thème et variations          Braun/Billaudot

Masson, Paul-Marie     (1882 - 1954) F
                       - Suite Pastorale              (Rasmussen)

Maštalíř, Jaroslav     (1906) CS
                       - 1. Bläserquintett, op. 15, 1933 (Gardavský)
                       - 2. Bläserquintett, op. 37, 1941 (Gardavský)
                       - 3. Bläserquintett, op. 41, 1943 (Gardavský)

Matarazzo, J.
                       - Quintet                      Camara

Matěj, Josef           (1922) CS
                       - Bläserquintett, 1949         (Schäffer)
                       - Bläserquintett, 1956         ČHF

Ma-tse-Chung           China
                       - Quintet, 1934                (Peking)

Matthes, René          (1897 - 1967) CH
                       - Scherzi e Notturni, 1959  12' Selbstverlag

Matthews, Denis        (1919) England
                       - Partita                      (Gregory)

Mattie-Klickman
                       - Victoria Gavotte             (Houser)
```

124

```
Maturana, Eduardo      (1920) RCH
                       - Bläserquintett, 1961        (Riemann)

Matys, Jiří            (1927) CS
                       - Bläserquintett, op.10, 1950   (Gardavský)
                       - Kinderballette für Bläser-
                         quintett, op. 26, 1959   17'  ČHF
                       - Musik für Bläserquintett,
                         1970                     10'  ČHF

Matz, Rudolf           (1901) YU
                       - 5 Sätze für Bläserquintett   ČHF

Maxwell, Charles       USA
                       - Two Dissertations          (Brüchle)
                       - Quintet, 1961              (Brüchle)

Mays, Walter A.        USA
                       - Quintet                    (Gregory)

McBride, Robert        (1911) USA
                       - Five Winds Blowing, 1957   McGinnis & Marx
                       - Quatro Milpas              ACA
                       - Jam Session, 1941          Elkan
                       - Mexican Dance              ACA
                       - Serenade to Country Music  ACA
                       - Rock' Em Cowboy            ACA
                       - Home on the Range          ACA
                       - Fanfare for Young People   ACA 1977
                       - Pajarillo Barranqueno      ACA 1977

McCall, Brent          (1940)
                       - Quintet              8'45"  (Südwestfunk)

McCall, H. E.
                       - Two Tunes from Mother Goose  Southern Music

McCollin, Frances      (1892)
                       - Diversion for Five Instruments,
                         1943                       (Rasmussen)

McEwen, John Blackwood (1868 - 1948) Scotland
                       - Under Northern Skies, 1939   (Schäffer)

McIntyre, Paul         (1931) CDN
                       - Fantasy on an Eskimo Song    CMC

McKay, George Frederick (1899) USA
                       - Joyful Dance               Presser 1967
                       - Three Nautical Characters  Barnhouse 1954
                       - Quintet, 1930              (Rasmussen)
                       - Bagatelles for General
                         Washington                 Shawnee 1974

McKinley, Carl         (1895 - 1966) USA
                       - Suite for Five Instruments, 1935 (Rasmussen)

McLaughlin
                       - Six Fragments              Pan Pipes 1968

McPeek, Benjamin D.    (1934) CDN
                       - Quintet, 1961              CMC
```

Meale, Richard G.   (1932) AUS
                       - Plateau für Bläserquintett 10' UE 1972
                         o: HMV:OASD 7565
                         Adelaide Woodwind Quintet
                       - Quintet for Winds, 1969 15'   UE 1975
                         o: HMV:OASD 7558
                         Adelaide Woodwind Quintet

Medek, Tilo   (Müller-Medek)(1940) D
                       - 1. Bläserquintett, 1965   Peters, Leipzig
                                                        1970
Mederacke, Kurt   (1910) D
                       - Divertimento, op. 36   Hofmeister 1960
                       - Böhmische Suite, op. 43   24' Hofmeister 1963

Meek, Charles
                       - Slumber Suite   (Houser)

Meester, Louis de   (1904) B
                       - Divertimento, 1946   16' CBDM 1960
                         o: Alpha DB 33
                         Quintette à vent de Bruxelles

Meier, Josef   CH
                       - Bläserquintett, 1967   12' Selbstverlag

Meister, Karl   (1903) D
                       - Serenade   Ms (Brüchle)

Mellin, G.
                       - Menuet Badin   Andraud

Mendelssohn-Bartholdy, Felix (1809 - 1847) D
                       - Intermezzo from "Midsummer
                         Night's Dream" (arr.)   Fischer 1970
                       - Song without Words, No. 62
                         (arr. Cafarella)   Volkwein 1957
                       - Song without Words, No. 67
                         (arr.)   White-Smith 1951
                       - Kinderstück (arr. Taylor)   Southern Music
                       - Scherzetto, op. 102, No. 3
                         (arr. Seay)   McGinnis & Marx
                       - Scherzo, op. 110 (arr. Jospe) Fischer 1970
                       - Rondo capriccioso E-Dur,   Ms, Rep: Aulos
                         op. 14 (arr. Renz)   Bläserquintett
                       - Scherzo a Capriccio a-Moll   Ms, Rep: Aulos
                         (orig.: fis-Moll)(arr. Renz)   Bläserquintett

Mendelssohn, J. Arko
                       - Figurate Hymn   Fischer

Mengal, Martin Joseph (1784 - 1851) B
                       - 3 Quintette   Pleyel, 19. Jh.

Mengelberg, Misha   (1935) NL
                       - Omtrent een komponisten-actie,
                         1966   Donemus 1967

Merrson, Boris   (1921) CH
                       - Musik für Bläserquintett,
                         op. 20, 1964   10-12' Breitkopf 1968

```
                     - Kleine Plauderei, 1966      3'   Modern 1970
Messner, Joseph      (1893 - 1969) A
                     - Bläserquintett, op. 57           (Riemann)
Meulemans, Arthur    (1884 - 1966) B
                     - Quintett Nr. 1, 1931      12'   CBDM 1957
                     - Quintett Nr. 2, 1932      11'   CBDM 1957
                     - Aubade, 1934               6'   CBDM 1961
                     - Quintett Nr. 3, 1958      18'   CBDM 1961
Meyer-Tormin, Wolfgang (1911) D
                     - Kleines Bläserquintett, 1951   Bote 1964
                     - Quintett, 1952                 Schott 1966
Meyerowitz, Jan      (1913) D / USA
                     - Quintet, 1954                  Rongwen
Miagi, Ester Kustovna
                     - Ostinato                       Muzyka 1964
Michael, Frank       (1943) D
                     - Serenata piccola, 1967     7'   Breitkopf 1971
Micheelsen, Hans Friedrich (1902 - 1973) D
                     - Divertimento                   (Schäffer)
Michel, Paul-Baudouin (1930) B
                     - Hommage à François Rabelais,
                       1960                            CBDM 1972
Michel, Wilfried     (1940) D
                     - Blasmusik, 1972                Modern
Middleton, H. E.
                     - Variations on Annie Laurie, op.1 Boosey 1912
Mielenz, Hans        (1909) D
                     - Weihnachtsmusik, op. 91        MG
                     - Divertimento in Jazz, op. 93,
                       1972                  16'15"   Ms (Brüchle)
Mignone, Francisco   (1877) BR
                     - Bläserquintett, 1960           (Riemann)
                     - Bläserquintett, 1962           (Riemann)
Migot, Georges       (1891) F
                     - Quintette, 1954                Leduc 1955
Mihule, Jiří         (1907) CS
                     - Bläserquintett, 1945           (Gardavský)
Mikoda, Bořivoj      (1904 - 1970) CS
                     - Bläserquintett, op. 28         (Gardavský)
Milhaud, Darius      (1892 - 1974) F
                     - La Cheminée du Roi René,       Andraud 1942;
                       op. 205, 1939                  Southern 1958
                     o: Col. ML-5613 / MS-6213
                       Philadelphia Woodwind Quintet
                     o: EMS 6 / Ev. 3092
                       New York Woodwind Quintet
```

```
                    o: Supraphon DM 5741 C
                      Bläserquintett d. Tschech. Philh.
                    - Two Sketches, 1942          Mercury 1942/46
                      o: Es. 505
                      New York Wind Quintet
                    - Divertissement, op. 229 b, 1958 Heugel 1958
                      o: Mus. Guild 39, S-39
                      Paris Ensemble d'instruments à vent
                      o: Supraphon 141 0119 G
                      Reicha Bläserquintett

Miller, John Lewis
                    - Five Fragments            Pyraminx

Miller, Kenneth B.
                    - Ode to Spring             (Libr. of Congr.)

Miller, Lewis M.    (1933)
                    - Sonatina, 1962            Contemp. Music

Miller, Ralph Dale
                    - Three American Dances     Fischer

Mills, Charles Boromeo (1914) USA
                    - Sonata Fantasia, 1941     ACA 1977
                    - Chamber Concertino, op. 17,
                      1941                      (Schäffer)

Milner, Anthony     (1925) England
                    - Quintet, op. 22, 1964     Novello 1967

Mirandolle, Ludovicus (1904)
                    - Deux morceaux, No. II, 1951  (Peters)

Miroglio, Francis   (1924) F
                    - Masques            15'    UE 1972

Mlejnek, Vilém Prokop (1906) CS
                    - Bläserquintett, 1959      (Gardavský)
                    - Bläserquintett, 1962      (Gardavský)

Moeschinger, Albert (1897) CH
                    - Quintett nach schweizerischen
                      Volksliedern, op. 53    20'  Ms: SMA

Mohr, Wilhelm       (1904) D
                    - Quintett fis-Moll, op. 6, 1943 (Riemann)
                    - Variationen über das Lied
                      vom Heuschreck            Kasparek *

Molnár, Antal       (1890) H
                    - Quintett, op. 16, 1926    (Contemp. Hungar.
                                                 Composers)

Monaco, Richard
                    - Quintet                   (Wise)

Mondello, H.
                    - Quintet                   (Wise)

Monteverdi, Claudio (1567 - 1643) I
                    - Sinfonia (arr. Townsend)  Ricordi, N.Y.
```

128

```
Moór, Emánuel          (1863 - 1931) H
                       - Bläserquintett              (Schäffer)
Moor, Karel            (1873 - 1945) CS
                       - Volkslieder für Bläserquintett (Kratochvíl)
                       - Bläserquintett              (Kratochvíl)
Moore, Charles         (1938)
                       - Quintet, 1964              Mills 1966
Moore, Douglas Stuart  (1893 - 1969) USA
                       - Quintet, 1942              Fischer 1970
Morel, François d'Assise (1926) CDN
                       - Woodwind Quintet, 1962     (Riemann)
Moritz, Edvard         (1891) D / USA
                       - Quintett, op. 41           Zimmermann'67
                       - Quintett, op. 169          Zimmermann'68
Moross, Jerome         (1913)
                       - Woodwind Quintet           Boonin 1976/
                         o: Desto 6469              EAM
                         Pro Musica London
Morris, Franklin E.    (1920)
                       - Five Esoteric Pieces, 1955
                         o: Desto 6401
                         Soni Ventorum Wind Quintet
Morse, Richard W.
                       - The Griesinger Suite       Ms: Sibley Libr.
Mortari, Virgilio      (1902) I
                       - Petite Offrande Musicale   Leduc
Mortel, L. van de
                       - Preludio e Canzone         McGinnis & Marx
                       - The King's Hunting Jig     McGinnis & Marx
                       - John Bull                  McGinnis & Marx
Mortelmans, Lodewijk (1868 - 1952) B
                       - Der einsame Hirte, 1920 1'30"  Metropolis
Mortensen, Finn        (1922) N
                       - Quintet, op. 4            15'  Hansen 1957
                         o: Philips 6507008
                       - Suite for Wind Quintet, op. 36
                         1972                    12'30"  Ms
Mortensen, Otto        (1907) DK
                       - Quintet, op. 4, 1951       Hansen
Morthenson, Jan Wilhelm (1940) S
                       - Soli, 1974                 STIM
Moss, Lawrence         (1927) USA
                       - Auditions for Wind Quintet
                         o: CRI S-318
                         Dorian Woodwind Quintet
```

Motte, Diether de la (1928) D
- Quintett, 1954   Selbstverlag'54

Moulaert, Pierre   (1907 - 1967) B
- Passepied en Rondo, 1940   10' CBDM 1968

Moyse, Louis   (1911)
- Quintet, Im memoriam
  B. Martinů   McGinnis 1966

Moyzes, Alexander   (1906) CS
- Quintett B-Dur, op. 17, 1933   Supraphon 1967
  o: Supraphon DV 5484
     Bläserquintett d. Tschech. Philh.

Moyzes, Mikuláš   (1872 - 1944) CS
- Bläserquintett F-Dur, 1934   (ČHS II)

Mozart, Wolfgang Amadeus (1756 - 1787) A
- Andante für eine Walze in einer
  kleinen Orgel, KV 616, F-Dur
  (arr. Meyer)   Sikorski 1970
- dito (arr. Vester)   Mills 1963
- Adagio, KV 411, B-Dur
  (arr. Weigelt)   Leuckart
- Adagio and Allegro "Ein Stück
  für ein Orgelwerk in eine Uhr"
  (arr. Taylor) KV 594   Southern Music
- Adagio B-Dur (arr. Sobeck)   Lehne 1913
- Adagio B-Dur, KV 411   Hofmeister,
  (arr. Altmann)   Leipzig 1974
- Adagio f-Moll und Allegro
  F-Dur, KV 594 (arr. Meyer)   Sikorski 1970
- Fantasie f-Moll, KV 594   Ms, Rep: Aulos
  (arr. Renz)   Bläserquintett
- Adagio f-Moll und Allegro
  F-Dur, KV 594 (arr. Pillney)   Breitkopf 1970
- Adagio f-Moll und Allegro
  F-Dur, KV 594 (arr. Weigelt)   Leuckart
- Fantasie, KV 608 (arr. Spiegel) Sikorski 1958
- dito (arr. Pillney)   Breitkopf
- Allegro Concertante
  (arr. Calliet)   McGinnis & Marx
- dito (arr. Campbell-Watson)   Witmark 1932
- Quintett c-Moll, KV 406
  (arr. Rottler)   23'   Leuckart 1967
- Quintet d-Moll, KV 422
  (arr. Śniekowski)   PWM 1968
- Quintet F major, K 370
  (arr. Cailliet)   Elkan
- Cassatione (arr. Maros)   EMB
- Eine kleine Nachtmusik, KV 525   Hofmeister,
  (arr. Ullrich)   Leipzig 1974
- dito (arr. Renz)   Ms, Rep: Aulos
- Rondo from Serenade No. 11,
  K 375 (arr. Hirsch)   Ditson 1937

- Menuet (arr. Waln)　　　　　　　McGinnis & Marx
- Minuet and German Dance
  (arr. Andraud)　　　　　　　Southern Music
- Minuet (Symph.Nr. 40)
  (arr. Klickmann)　　　　　　Standard 1936
- Menuet (arr.)　　　　　　7'　Kjos 1967
- Deutscher Tanz (arr. Buringer)　(Libr. of Congr.)
- March from "Figaro"
  (arr. Taylor)　　　　　　　(Peters)
- Divertimento (arr. Szokolay)　EMB
- Divertimento Nr. 8, F-Dur,
  KV 213 (arr. Weigelt)　　　Leuckart
  o: ML 5715 / MS 6315
  Philadelphia Woodwind Quintet
- Divertimento Nr. 9, B-Dur,
  KV 240 (arr. Weigelt)　　　Leuckart
- Divertimento Nr. 12, Es-Dur,
  KV 252 (arr. Rottler)　　　Leuckart 1968
- dito (arr. Bryant)　　　　Gaillard
- dito (arr. Jensen)　　　　Fema 1974
- Divertimento Nr. 13, F-Dur,
  KV 253 (arr. Weigelt)　　　Leuckart
- Divertimento Nr. 14, B-Dur,
  KV 270 (arr. Weigelt)　　　Leuckart
  o: ML 5715 / MS 6315
  Philadelphia Woodwind Quintet
- dito (arr. Baines)　　　　OUP
- dito (arr. Maros)　　　　　EMB
- dito (arr. van de Moortel)　Brogneaux
- Divertimento Nr. 16, Es-Dur,
  KV 289 (arr. Rottler)　　　Leuckart
- Fantasie KV 608 (arr. Meyer)　McGinnis & Marx
- dito (arr. Vester)　　　　Mills 1970
- dito (arr. Renz)　　　　　Ms, Rep: Aulos
- Two Short Quintets
  (arr. Andraud)　　　　　　Southern 1975
- Three Fantasias (arr.)
  o: Lyrichord
  Soni Ventorum
- Divertimento Nr. 1, B-Dur,
  KV 439 b (arr.)
  o: Christophorus SCGLP 75867
  Bläserquintett des SWF
- Sonate F-Dur, KV 381　　　Ms, Rep: Aulos
  (orig. D-Dur) (arr. Renz)　Bläserquintett
- Divertimenti (arr. Rechtman)　Ms, Rep: Israel
- Fantasias (arr. Rechtman)　Ms, Rep: Israel
  　　　　　　　　　　　　　Wind Quintet
- Sonata in B (arr.)　　　　Ms, Rep: Tuckwell

Muczynski, Robert　(1929) PL / USA
- Movements, op. 16, 1962　　Shawnee

Mueller, Florian　(1904) USA
- Five Pieces　　　　　　　(Vester)

```
Mulder, Herman        (1894) NL
                      - Quintett, op. 119, 1961      Donemus 1967
                      - Quintett, op. 141, 1966      Donemus 1972

Müller, Peter         (1791 - 1877)
                      - Quintett Nr. 1, Es-Dur       Musica Rara
                        o: Saba 15077 SB
                        Bläserquintett des SWF
                      - 2 Quintette, c-Moll, A-Dur
                        (Waterhouse)                 Musica Rara
                      - Quintette Nr. 3, F-Dur;      Mss: Hessische
                        Nr. 4, A-Dur; Nr. 5, G-Dur;  Landes- u. Hoch-
                        Nr. 6, Es-Dur; Nr. 7, C-Dur  schulbibliothek
                                                     Darmstadt

Müller-Medek, Willy (1896 - 1965) D
                      - "Die Leineweber", 1933       Grosch

Müller von Kulm, Walter (1899 - 1967) CH
                      - Triptychon, op. 85, 1966  12'  Ms: SMA

Müller-Siemens, Detlev (1957) D
                      - Les sanglots longs des vilons
                        de l'automne                 Ars Viva

Murray, Bain          (1926)
                      - Quintet, 1963                (Wise)

Mussorgskij, Modest P. (1839 - 1881) Russland / Russia
                      - Ballet of the Unhatched
                        Chicks (arr.)                McGinnis & Marx
                      - Pictures at an Exhibition    Ms, Rep:
                        (arr. Lovelock)              Adelaide Wind
                        o: HMV:OASD 7570             Quintet
                        Adelaide Wind Quintet

Muth, Fritz           (1891 - 1959) D
                      - Quintett nach einem Klavier-
                        trio von Joseph Haydn        Merseburger 1928

Myers, Robert         (1941)
                      - Two Movements                Contemp. Music

Nagele, Albert        (1927) A
                      - Quintett                     (ORF)

Nataletti, Giorgio    (1907 - 1972) I
                      - Bläserquintett, 1927         (Riemann)

Naylor, Peter         (1933) Scotland
                      - Quintet, 1962            15'  Ms: ScMA

Necke, H.
                      - The Mill of Sans Souci       Mills

Nejedlý, Vít          (1912 - 1945) CS
                      - 2 Stücke für Bläserquintett,
                        op. 8 a, 1934                (Gardavský)
```

```
Nelhýbel, Václav      (1919) CS
                      - Quintett Nr. 1, 1949        Peters 1955
                      - Quintett Nr. 2             General 1969
                      - Quintett Nr. 3             (Riemann)

Nero, Paul            (Klaus Doldinger)(1936) D
                      - Monsoon in B              Fischer 1970

Neubert, Günter       (1936) D
                      - Musik für Bläserquintett, 1968 DVfM 1972

Neumann, Friedrich    (1915) A
                      - Bläserquintett            (ORF)

Nevin, Ethelbert W.   (1862 - 1901) USA
                      - Gondolieri                Presser 1966

Nickel, Hartmut
                      - Quintett                  (Bayer. Rundf.)

Nielsen, Carl August  (1865 - 1931) DK
                      - Quintett A-Dur, op. 43, 1922    Hansen 1923
                        o: Classic Ed. 2001        23'
                        New Art Wind Quintet
                        o: Lond. LL-734
                        Copenhagen Wind Quintet
                        o: Col. ML-5441 / MS-6114 SBRG 72133
                        Philadelphia Woodwind Quintet
                        o: Od. Danish 30004
                        Bentzon, Wolsing, Eriksen, Michelsen, Bloch
                        o: Saba SB 15077
                        Bläserquintett des SWF
                        o: Lyr. 7155
                        Lark Woodwind Quintet
                        o: Con.-Disc 254
                        New York Woodwind Quintet
                        o: Crys. S-601
                        Westwood Wind Quintet

Nielsen, John         (1927) DK
                      - Quintette                 (Schäffer)

Nilsson, Bo           (1937) S
                      - Déjà connu, 1973    15'   Nordiska

Nobis, Herbert        (1941) D
                      - Fünf Bagatellen, 1972     Breitkopf 1975

Nobre, Marlos         (1939) BR
                      - Bläserquintett, op. 29, 1968   (Riemann)

Nordenstrom, G.
                      - Bläserquintett            Rep: Bamberger

Nørgård, Per          (1932) DK
                      - Bläserquintett, 1970      (Riemann)

Normand, Albert
                      - Quintet in E, op. 45      Southern Music
```

133

```
North, Alex            (1910) USA
                       - Quintet, 1942              (Rasmussen)

Novák, Jan             (1921) CS
                       - Concertino, 1957           ČHF 1959
                       o: Supraphon DV 5884 F
                       Bläserquintett d. Tschech. Philh.

Novák, Jiří František (1913) CS
                       - Suite                      (Riemann)

Novák, Richard         (1931) CS
                       - Variationen über ein eigenes
                         Thema, 1954                (ČHS II)

Nowka, Dieter          (1924) D
                       - Quintett, op. 35, 1955     Bärenreiter
                       - Quintetto per fiati, 1968  Bärenreiter

Novosad, Lubomír       (1922) CS
                       - Bläserquintett, 1948       (Gardavský)

Nyberg, Gary           (1945)
                       - Wind Quintet No. 1         Ms: U. of Wisc.

Nyman, Uno             (1879 - ?) USA
                       - Arctic Suite, 1934    20'  (Reis)

Oberstadt, Carolus D.  (1871 - 1940) NL
                       - Quintett                   (Cobbett)

Obrecht, Eldon
                       - Pantomimes                 Ms: U. of Iowa

O'Farrill, A.
                       - Quintet                    (Wise)

Okeover, John          (? - 1663?)
                       - Fantasia (arr.)
                       o: FSM 53 0 04
                         Eastman Woodwind Quintet

Olds, Gerry            (1933) USA
                       - Woodwind Quintet, 1958     (Riemann)

Oliver Pina, Ángel     (1937) E
                       - Dos piezas, 1966           Ms: SGAE

Olsen, C. G. Sparre    (1903) N
                       - Quintett, op. 35, 1945  16' Lyche 1950
                       o: Philips 6507011

Olsson, Sture
                       - Bläserquintett, 1975       STIM 1976

O'Meagher, Hugh
                       - Woodwind Quintet, 1963     (Libr. of Congr.)

Onslow, Georges L.     (1784 - 1853) F
                       - Quintett, op. 81/1, 1852
                       - Quintett, op. 81/2, 1852
```

```
                        - Quintett, op. 81/3, F-Dur, 1852
                          (Redel)                         Leuckart 1956
                          o: Oiseau 50049
                            French Wind Quintet
                          o: Classic Ed. 2020
                            New Art Wind Quintet
Opitz, Erich            (1912) A
                        - Bläserquintett, 1956            Mss: Steir.
                        - Sonatina a cinque, 1969         Tonkünstler-
                        - Epigramme, 1970                 bund
Orgad, Ben-Zion         (1926) IL
                        - Landscapes, 1969                IMI
Orlando, Michèle        (1887 - ?)
                        - Interludio Sinfonico            (Rasmussen)
                        - Suite                           (Gorgerat)
                        - Quintet, 1932                   (Gregory)
Ortis, Luciano          I
                        - Entfaltungszeiten, 1974    8'   Döring 1975
Osjetrova-Jakoleva, Nina A. (1923)
                        - Bläserquintett, 1947            (Kratochvíl)
Osokin, Michal          (1903) SU
                        - Poetische Bilder "Aus vergan-
                          gener Zeit"                     Muzgiz
Ossinsky, Louis         (1931)
                        - Suite, 1955                     (Libr. of Congr.)
Ostendorf, Jens-Peter (1944) D
                        - Bläserquintett, 1967    9'20"   Sikorski 1970
Osterc, Slavko          (1895 - 1941) YU
                        - Quintett, 1932            11'   DSS / Gerig 1973
Ots, Ch. A.             SU
                        - Pieces for Wind Quintet         Muzgiz
Otsa, Harry
                        - Quintet                         Ms: U. of Wisc.
Otten, Ludwig           (1924) NL
                        - Quintett Nr. 2, 1954     10'    Donemus 1965
                        - Movements for Wind Quintet,
                          1966                     13'    Donemus 1972
Ottoson, David          (1892) S
                        - Suite                    15'    Ms: FST
Oubradous, Fernand      (1903) F
                        - Fantaisie Dialoguée             L'Oiseau 1949
                        - Symphonies et Danses d'après
                          J. Ph. Rameau                   Leduc 1954
Owen, Blythe
                        - Two Inventions for Woodwind
                          Quintet                         Pan Pipes 1968
```

```
Paciorkiewicz, Tadeusz (1916) PL
                    - Quintett, 1951           18'   PWM 1960
Padua, Newton       (1894) BR
                    - Bläserquintett                 (Riemann)
Pahissa, Jaime      (1880 - 1969) E
                    - Dos Canciones de Campo, 1960   (Riemann)
Palkovský, Oldřich  (1907) CS
                    - Bläserquintett Nr. 1, op. 21,
                      1949                           (Riemann)
                    - Bläserquintett Nr. 2, 1958 20' ČHF
Palmer, Robert M.   (1915) USA
                    - Quintet, 1951                  (Schäffer)
Panufnik, Andrzej   (1914) PL
                    - Quintett, 1953                 PWM 1954
Papandopulo, Boris  (1906) YU
                    - Kleines Konzert, 1971          (Riemann)
Papineau-Couture, Jean (1916) CDN
                    - Fantaisie, 1963                CMC
Paribeni, G. C.     (1881 - 1964)
                    - Suite in tre tempi             (Gregory)
Parris, Hermann M.  (1903) USA
                    - Woodwind Miniatures            Elkan 1956
Parris, Robert      (1924) USA
                    - Sonatina, 1954                 ACA 1977
                    - Five Easy Canons and a Fugue   ACA
Parrott, Horace Ian (1916) England
                    - Quintet, 1948                  (Schäffer)
Parsch, Arnošt      (1936) CS
                    - Transposition I, 1967          (Prager Rundf.)
Pärt, Arvo          (1935) Estland / Estonia
                    - Bläserquintett                 (Prager Rundf.)
Partos, Ödön        (1907) IL
                    - Quintet                        IMI 1966
                    - Nebulae, 1966            11'   IMI 1968
                      o: RCA, Israel Woodwind Quintet
Passani, Emile Barthélemi (1905) F
                    - Quintette                      Transatlant.
Patachich, Iván     (1922) H
                    - Quintett, 1960                 Ms: Contemp.
                                                     Hungar. Comp.
Patterson, Aandy
                    - Suite, 1962                    (Peters)
Patterson, Paul     (1947)
                    - Wind Quintet                   Weinberger 1968
                    - Comedy for five winds    14'   Weinberger 1973
```

136

Pauer, Jiří	(1919) CS		
	- Bläserquintett, 1961	16'	SHV 1963/Supraphon
	o: Supraphon DV 5884 F		1969
	Bläserquintett d. Tschech. Philh.		
Payne, Frank Lynn			
	- Lenaea, 1968		Ms: U. of Oklahoma
Pearson, William	(1905)		
	- The Hunt		Chappell 1962
Pedersen, Paul	(1935) CDN		
	- Quintet, 1959		Ms: CMC
Peeters, Emil	(1893 - 1974) B		
	- Quintett, 1953		Müller
Pelemans, Willem	(1901) B		
	- Bläserquintett, 1948	15'	Maurer 1956
	- Quintett No. 2, 1968		Metropolis
Pelikán, Miroslav	(1922) CS		
	- Kapriziöse Miniaturen, 1962		(Prager Rundf.)
Perez Iriarte, Narciso			
	- Quintet, op. 6, 1958		(Libr. of Congr.)
Pergament, Moses	(1893) S		
	- Kleine Suite für Bläserquintett,		
	1970		STIM 1976
Peřina, Hubert	(1890 - 1964) CS		
	- Divertimento, op. 6, 1944		(Gardavský)
Perissas, Madeleine	(ca. 1910)		
	- Scotch Suite		Andraud
Perle, George	(1915) USA		
	- Quintet No. 1, op. 37, 1959		Presser
	- Quintet No. 2, op. 41, 1960		
Persichetti, Vincent	(1915) USA		
	- Pastoral, op. 31		Schirmer 1951
	o: Classic Ed. 2003		
	New Art Wind Quintet		
Peschek, Alfred	(1929) A		
	- Bläserquintett		(ORF)
Pessard, Emile L. F.	(1843 - 1917) F		
	- Aubade in D, op. 6		Leduc 1880
	- Prélude et Menuet		Leduc *
Peterson, Wayne			
	- Metamorphoses for Wind Quintet		Seesaw
Petrić, Ivo	(1931) YU		
	- Quintett Nr. 1	11'	DSS 1964
	- Quintett Nr. 2	11'	DSS 1961
	- Quintett Nr. 3	11'	DSS 1976
Petrovics, Emil	(1930) H		
	- Bläserquintett, 1964		EMB 1967

```
Petrželka, Vilém      (1889) CS
                      - Divertimento, op. 39, 1941      (Schäffer)
                      - Miniaturen, op. 54, 1953        (Kratochvíl)

Pfeiffer, Giovanni    (1835 - 1908)
                      - Pastorale, op. 71               Andraud
                      - Trois petites pièces            Andraud

Pfister, Hugo         (1914 - 1969) CH
                      - Ottobeuren-Quintett, 1966  9'   Eulenburg
                        o: DJ 5 30
                        Stalder Quintett

Phillips, Burrill     (1907) USA
                      - Woodwind Quintet, 1965          (Riemann)

Phillips, Peter       (1930)
                      - Music for Wind Quintet          BMI
                      - Little Prelude and Blues, 1963  (Libr. of Congr.)

Pícha, František      (1893 - 1964) CS
                      - Bläserquintett, op. 31          ČHF
                      - Präludium und Fuge              (JAMU)

Pierce, Edwin Hall    (1868 - ?)
                      - In Merry Mood                   Leeds
                      - Allegro piacevole and Scherzo   McGinnis & Marx
                      - Short Quintet in B              McGinnis & Marx
                      - Romance                         Pro Art 1942

Pierce, V. Brent      (1940)
                      - Divertimento                    Contemp. Music

Pierné, H. C. Gabriel (1863 - 1937) F
                      - Pastorale, op. 14/1             Leduc 1887/1939;
                                                        Fischer 1970
                      - Marche des petits soldats de
                        plomb, op. 14/6                 Leduc

Pierné, Paul G.       (1874 - 1952) F
                      - Suite pittoresque, op. 14       Leduc

Pijper, Willem F. J.  (1894 - 1947) NL
                      - Quintett, 1929           12'    Donemus 1947/49

Pillin, Boris         (1940) USA
                      - Scherzo for Woodwind Quintet    (Pillin)
                        o: Crystal S-811
                        Westwood Quintet

Pilss, Karl           (1902) A
                      - Serenade G-Dur, 1942     17'    Doblinger 1958/
                                                        1964/71

Piňos, Alois          (1925) CS
                      - I. Bläserquintett, 1951         (ČHS II)
                      - II. Bläserquintett, 1959  18'   ČHF

Pisk, Paul Amadeus    (1893) A / USA
                      - Quintet, op. 96, 1958           ACA
```

138

```
Piston, Walter H.      (1894) USA
                       - Quintet for Wind Instruments,
                         1956                            AMP 1957/64
                         o: Boston 407 / 1005
                         Boston Wind Quintet

Pistor, Carl Friedrich (1884 - 1969) D
                       - Bläserquintett                  (IMB)

Placheta, Hugo         (1892) A
                       - Divertimento, op. 8      17'    Doblinger 1967

Platt, Peter           (1926) AUS
                       - Rondo                           Australian

Pleskow, Raoul         (1931) A / USA
                       - Three Movements for Quintet,
                         1970
                         o: CRI 302, Schulte, Blustine,
                         Sollberger, Sherry, Miller

Pleyel, Ignaz Joseph   (1757 - 1831) A
                       - Rondo (arr. Harris)             Fischer 1970
                       - Rondo (arr. Geiger)             Remick
                       - Quintet, op. 48 (arr. Harris)   Cundy
                       - Quintet in C (arr.)             Musica Rara

Podéšť, Ludvíl         (1921 - 1968) CS
                       - Bläserquintett, 1946            (ČHS II)
                       - Bläserquintett, 1948            (ČHS II)

Podešva, Jaromír       (1927) CS
                       - 1. Bläserquintett (in memoriam
                         Theodor Schaefer)               (Prager Rundf.)

Podprocký, Josef       (1944) CS
                       - Divertimento für fünf Blas-
                         instrumente                     (Prager Rundf.)

Polaczek, Dietmar      (1942) A
                       - Bläserquintett "lesabéndio",    Ms, Rep: Syrinx-
                         1966                            Quintett

Poldini, Ede           (1869 - 1957) H
                       - General Boom-Boom (Elkan)       Elkan

Poldowski, Dean Paul
                       - Suite Miniature (Barrere)       Galaxy

Polívka, Vladimír      (1896 - 1948) CS
                       - Divertimento, 1939              (Gardavský)

Pollock, Robert        (1946) USA
                       - Woodwind Quintet, 1975    9'    Bomart 1976

Pololáník, Zdeněk      (1935) CS
                       - Tre Scherzi, 1963        15'    Zanibon 1975

Ponc, Miroslav         (1902) CS
                       - 3 Skizzen, 1929                 (Prager Rundf.)

Pongrácz, Zoltán       (1912) H
                       - Quintett, 1956                  (Contemp. Hungar.)
```

```
Poniridis, Georgios  (1892) GR
                     - Bläserquintett, 1966          (Riemann)

Ponse, Luctor        (1914) NL
                     - Deux Pièces, 1943        8'   Donemus 1965
                     - Quintet, op. 32, 1961   17'   Donemus 1965

Poot, Marcel         (1901) B
                     - Concertino, 1958        12'   Leduc 1965
                     - Symphonie No. 2               (Vester)
                     - Suite, 1940                   (Schäffer)

Porcelijn, David     (1947) NL
                     - Pulverizations, 1972    10'   Donemus 1975

Porfetye, Andreas    (1927) R
                     - Bläserquintett, 1957          (Riemann)

Porsch, Gilbert
                     - Suite Modique                 Remick

Porter, W. Quincy    (1897 - 1966) USA
                     - Divertimento                  Peters/NY 1960

Posada-Amador, Carlos (1908) CO
                     - Quintet, 1958                 (CA; Riemann)

Pospíšil, Juraj      (1931) CS
                     - Stimme für Bläserquintett
                       o: Supraphon SV 8294 F
                          Slovakisches Bläserquintett

Powell, Mel          (1923) USA
                     - Divertimento, 1956            SPAM 1957

Pozdro, John Walter  (1923) USA
                     - Woodwind Quintet, 1951        (Riemann)

Poźniak, Włodzimierz (1904) PL
                     - Bläserquintett, 1938          (Schäffer)

Praag, Henri C. van  (1894 - 1968) NL
                     - Quintett, 1938          12'   Donemus 1965
                     - Quintett, 1948          18'   Donemus 1965

Presser, William     (1916) USA
                     - Minuet, Sarabande and Gavotte  Tritone 1970

Procaccini, Teresa   (1931) I
                     - Clown-Music             11'   Zanibon 1975

Purcell, Henry       (1658 - 1695) England
                     - Abdelazer (arr. Taylor)        Southern Music

Purdie, Hunter
                     - Canon Apertus                 Pro Art 1968

Pürkner, Anton       A
                     - Kammermusik Nr. 2, 1972  5'   (ORF)

Putsché, Thomas
                     - Wind Quintet                  Seesaw 1966

Pyle, Francis
                     - Quintet, 1960                 Ms: Drake Univ.
```

Quick, George James
                    - Monostructure, 1967   (Libr. of Congr.)

Quinet, Marcel   (1915) B
                    - Eight Short Pieces, 1946   8'   CBDM 1956
                      o: Alpha DB 42
                      Quintette à vent de Belgique
                    - Quintett, 1949   12' CBDM 1957
                      o: Alpha

Rackley, Lawrence
                    - Two Madrigals and a Jig   Composers Press

Radulescu, Michael (1943)
                    - Quintett   Doblinger 1970/72

Rae, Allan   CDN
                    - Impressions, 1971   12' Ms: CMC

Rago, Alexis   (1930) YV
                    - Mítica de sueños y
                      cosmogonías, 1968   (Riemann)

Raigorodsky, Natalia
                    - Introduction and Reflection   (Peters)

Rainier, Priaulx   (1903) England
                    - Six Pieces, 1954   Schott 1963

Rajter, Ľudovít   (1906) CS
                    - Quintett, 1940   (Gardavský)
                    - Quintett, 1946   (SHF)
                    - Quintett, 1962   (Gardavský)

Ramanis, Gedert Gedertovitsch   SU
                    - Suite   Sov. Komp. 1961

Rameau, Jean-Philippe (1683 - 1764) F
                    - Symphonies et Danses
                      (arr. Oubradous)   Leduc 1967
                    - Suite aus "Acanthe et Céphise"
                      (arr. Désormière)   Leduc
                    - Gavotte with six Doubles
                      (arr. Nakagawa)   AMP 1969
                      o: Kaibala Records 20 B 01
                      Phoenix Woodwind Quintet
                    - L'Agaçante et L'Indiscrète
                      (arr. Nakagawa)   AMP 1967

Ramsey, Gordon
                    - Mirror and Bagatelle, 1967   (Libr. of Congr.)

Randerson, Horace Edward (1892)
                    - Quintet   Durand

Ramieri, Salvador   (1930) RA
                    - Ricercare No. 1   (Riemann)

Ránki, György   (1907) H
                    - Tre pezzi "Pentaerophonia",
                      1958   EMB 1960

141

Ranta, Sulho V. J.   (1901 - 1960) SF
                      - Quintet   (Rasmussen)

Rapf, Kurt   (1922) A
                      - Sechs Stücke für Bläserquintett,
                      1963   9'   Doblinger 1971/74

Raphael, Günter A. R. (1903 - 1960) D
                      - Quintett   (Schäffer)

Rapoport, Eda   (1900) USA
                      - Indian Legend   AMP 1964

Rashanis, F.
                      - Suite   Muzyka 1961

Rathaus, Karol   (1895 - 1954) PL / USA
                      - Galante Serenade   Boosey 1949/66

Raţiu, Adrian   (1928) R
                      - Partita, 1966   (Riemann)

Rattenbach, Augusto B. (1927) RA
                      - Bläserquintett, 1957   (Riemann)

Ravel, Maurice   (1875 - 1937) F
                      - Pièce en forme de habanera
                        (arr. Kessler)   Leduc 1909
                      - Pavane pour une Infante defunte
                        (arr. Intravaia)   McGinnis & Marx
                      - Le Tombeau de Couperin   Durand 1970
                        (arr. Jones)   USA: Presser

Read, Gardner   (1913) USA
                      - Scherzino, op. 24, 1935 4'15" Southern 1953
                      - Quintet   Ms: Boston U.

Redding, James
                      - Quintet   Ms: Mich. State U.

Regt, Robert de   (1950) NL
                      - Musica per quintetto a fiati,
                        op. 3, 1969   Donemus 1972

Řehák, Václav   (1933) CS
                      - Bläserquintett, 1959   (Kratochvíl)

Řehoř, Bohuslav   (1938) CS
                      - 2 Morgenstern-Suiten, 1968 / 69 (Riemann)

Reicha, Anton   (Antonín Rejcha) Böhmen - Bohemia / F
                      Mss:
                      - Concertante, 1817   Conserv. Paris
                      - Trois Andante   Conserv. Paris
                      - Adagio   Conserv. Paris

                      Alte Ausgaben / Old editions:
                      - 6 Quintette, op. 88
                        in e, Es, G, d , B, F   ⎫ Schott
                      - 6 Quintette, op. 91   ⎪ Simrock
                        in C, a, D, g, A, c   ⎬ Costallat
                      - 6 Quintette, op. 99   ⎪
                        in C, f, A, D, h, G   ⎭

                              142

QUINTETTO PER STROMENTI DA FIATO

Op. 88, No. 3 Sol maggiore

I

ANTONÍN REJCHA
(1770—1836)

© Copyright 1957 by Státní nakladatelství
krásné literatury, hudby a umění • Prague
Printed in Czechoslovakia

H 2323

Všechna práva vyhrazena
All rights reserved

143

```
- 6 Quintette, op. 100            Schott ; Simrock ;
  in A, d, Es, e, a, B            Costallat

  Neuausgaben / New editions :
- Quintett, op. 88/1, e-Moll
  o: BM 30 SL 12 27
     Reicha Bläserquintett
  o: Supraphon SV 8319 F
     Reicha Bläserquintett
- Quintett, op. 88/2, Es-Dur
  (Weigelt)                       Leuckart 1937
- dito (Wise)                     Bright Star
  o: Mace S-9034
     Bläserquintett des SWF
  o: ML 5715 / MS 6315
     Philadelphia Woodwind Quintet
  o: Colos O 618
     Bläserquintett d. Nürnberger Symph.
  o: CAL 30 434
     Residenz-Quintett
  o: Int 120 861 (Cassette)
     Stuttgarter Bläserquintett
  o: Classic Ed. 2010
     New Art Wind Quintet
  o: Oiseau 50019
     French Wind Quintet
  o: MPS 2020 762-5 / SB 15011
     Bläserquintett des SWF
- Quintett, op. 88/3, G-Dur
  (Racek / Hertl / Smetáček)      SHV / Supraphon
- dito (Kneusslin)               Kneusslin 1956
- Quintett, op. 88/5, B-Dur
  (Seydel)                        Leuckart 1958
  o: Supraphon DM 5508
     Reicha Bläserquintett
- Quintett, op. 91/1, C-Dur
  (Kneusslin)                     Kneusslin 1960
  o: DG 2530077
     Bläser d. Berliner Philh.
- Quintett, op. 91/2, a-Moll
  (Vester)                        Musica Rara
- dito (Kneusslin)               Kneusslin 1970
  o: BASF HA 219 860
     Danzi-Quintett
- Quintett, op. 91/3, D-Dur
  (Kneusslin)                     Kneusslin 1956
- dito (Racek / Hertl / Smetáček) SHV 1957
  o: DJ 5 15
     Stalder-Quintett
  o: Oiseau 50019
     French Wind Quintet
- Quintett, op. 91/4, g-Moll      Braun/Billaudot
- dito                            McGinnis & Marx
- Quintett, op. 91/5, A-Dur
  (Kneusslin)                     Kneusslin 1961
```

144

```
                        - dito (Racek / Hertl / Smetáček) SHV 1957
                          2. ed. (rev. Straka)            SHV 1965
                          o: BM 30 SL 12 27
                             Reicha Bläserquintett
                          o: Supraphon SV 8319 F
                             Reicha Bläserquintett
                          o: Cla O 611
                             Residenz-Quintett
                        - Quintett, op. 91/6, c-Moll      Kneusslin 1974
                        - Quintett, op. 99/1, C major     AMP
                        - Quintett, op. 99/2, f-Moll
                          (Vester)                         Musica Rara 1968
                          o: Panton, Bläserquintett des
                             Nationaltheaters Prag
                        - Quintett, op. 99/4, D-Dur
                          o: BASF HA 219 860
                             Danzi-Quintett
                        - Quintett, op. 99/6, G-Dur       Kneusslin
                        - Quintett, op. 100/4, e-Moll
                          (Kneusslin)                      Kneusslin 1958
                        - dito                             Ricordi 1965
                          o: Lyr. 7216
                             Soni Ventorum Wind Quintet
                        - Introduction and Allegro         Mercury
                        - 2 Andante & Adagio "pour le
                          cor anglais" (Vester)            Musica Rara 1971
Reichel, A.
                        - Two Quintets                     Andraud *

Reichel, Bernard        (1901) CH
                        - Prelude, Passacaille et
                          Postlude, op. 82, 1951    12'    Ms: SMA

Reiner, Karel           (1910) CS
                        - 7 Miniaturen, 1931               (Schäffer)
                        - Dodia-Suite, 1963                Panton
                        - "Zwölf", 1931/63                 Panton 1968

Reinhart, Bruno
                        - Quintet, 1965                    Ms, Rep: Israel
                                                           Woodwind Quintet
Reinhold, Otto          (1899 - 1965) D
                        - Quintett, 1962                   Peters 1967

Reiter, Albert          (1905 - 1970) A
                        - Musik für fünf Bläser            Doblinger 1963

Reizenstein, Franz      (1911) D / England
                        - Quintet, op. 5, 1934             Boosey 1966

Renzi, Armando          (1915) I
                        - 5 Bagatelle, 1945                Santis 1949

Resseger, Robert
                        - Quintet, No. 1                   Ms: Sibley Libr.

Reuland, Jacques        (1918) NL
                        - Partita, 1967                    Donemus 1972
```

```
Reuling, Wilhelm      (1802 - 1879)
                      - Quintett                      Schott *

Reutter, Georg        (1708 - 1772) A
                      - Bläserquintett                (Vester)

Revueltas, Silvestre  (1899 - 1940) MEX
                      - Suite                         Peer
                      - Two Little Pieces             Peer
                        o: Crys. S-812
                        Westwood Wind Quintet

Rey, Cemal Resid      (1904) TR
                      - In 5/8 Time, 1934             (Rasmussen)

Reynolds, Roger       (1934) USA
                      - Gathering, 1964               Peters

Reynolds, Verne       (1926) USA
                      - Quintet, 1964          20'    Mills 1967

Řezáč, Ivan           (1924) CS
                      - Bläserquintett, 1971          (Prager Rundf.)

Rezníček, Petr        (1938) CS
                      - Konzertmusik, 1968     18'    ČHF 1974

Rhodes, Phillip       (1940) USA
                      - Suite for Five Winds          ACA 1977
                      - Ensemble Etudes               ACA 1977

Řídký, Jaroslav       (1897 - 1956) CS
                      - Bläserquintett, op. 41, 1945  (Prager Rundf.)

Riedlbauch, Václav    (1947) CS
                      - Allegri e Pastorali           (Prager Rundf.)

Riegger, Wallingford  (1885 - 1961) USA
                      - Quintet, op. 51               AMP/Ars Viva 1952
                        o: Classic Ed. 2003
                        New Art Wind Quintet

Rieti, Vittorio       (1898) I / USA
                      - Quintet, 1957                 AMP 1964

Rietz, Julius         (1812 - 1877) D
                      - Quintett                      Hofmeister

Riisager, Knudåge     (1897 - 1974) DK
                      - Quintett, 1921                (Riemann)
                      - Quintett, 1927                (Riemann)

Rimsky-Korsakoff, N.  (1844 - 1908) Russland/Russia
                      - The Flight of the Bumble Bee
                        (arr. Atkins)                 Scott
                      - dito (arr. Trinkaus)          Franklin
                      - dito (arr. Tustin)            Spratt

Rinck, Johann Christian H.  (1770 - 1846) D
                      - Woodwind Quintet              McGinnis & Marx

Risinger, Karel       (1920) CS
                      - Kleine Suite, 1960            (Prager Rundf.)
```

Ristić, Milan   (1908) YU
                     - Quintett, 1936   (Paclt)
Rivier, Jean   (1896) F
                     - Capriccio   11'50" Billaudot 1971
Rocha Cardoso, Lindemberghe (1939) BR
                     - Bläserquintett, 1970   (Riemann)
Rodgers, Richard Ch. (1902) USA & Hammerstein, Oscar (1895 - 1960) USA
                     - March of the Siamese Children
                       (arr. Harris)   McGinnis & Marx
Roetscher, Konrad   (1910) D
                     - Quintett, op. 41   Bote & Bock 1964
Rohe, Robert Kenneth (1916)
                     - Quintet, 1957   Ms: Library of
                                                Congress
Roikjer, Kjell   (1901) DK
                     - Quintet, op. 42, 1950   Skand. 1958
Rollin, Robert
                     - Suite for Wind Quintet   Seesaw 1966
Romanovsky, Erich   (1929) A
                     - Bläserquintett, 1968   (ORF; Riemann)
Romberg, Andreas Jakob (1767 - 1821) D
                     - 8 Quintette   Rühle *
Roos, Robert de   (1907) NL
                     - Incontri, 1966   Donemus 1966
Ropartz, Joseph-Guy M. (1864 - 1955) F
                     - Deux pièces   Durand 1966
Roqué Alsina, Carlos (1941) RA
                     - A Letter   Zerboni 1977
Rorich, Carl   (1869 - 1941)
                     - Quintett, op. 58, e-Moll Zimmermann 1967
                       o: Colos 1 471
                       Bläserquintett d. Nürnberger Symph.
Rosenberg, Hilding C. (1892) S
                     - Quintett, 1959, rev.1968 22' FST 1965
                       o: Caprice 21
                       Bläserquintett d. Stockholmer Philh.
Rosenthal, Lawrence
                     - Commedia   Chappell 1964
Rosetti (Rösler), Franz Anton (1746 - 1792) Böhmen / Bohemia
                     - Quintett, Es-Dur (Kneusslin) Kneusslin 1961
                     - dito   Presser 1962
                       o: FSM 0 515
                       Stalder-Quintett
                       o: MDS 2020 762-5 / SB 15011
                       Bläserquintett des SWF
                       o: Supraphon st. 1 11 1084
                       Tschechisches Bläserquintett
                       o: Mace 9034

Rosher, Arnold
    - Woodwind Quintet   (Wise)
Rosseau, Norbert   (1907) B
                    - Quintett, op. 54, 1955   12'   CBDM 1958
                    - Suite Jules Boulez, op. 83,
                      1963   30'   CBDM 1969
Rossum, Frédéric van (1939) B
                    - Pyrogravures, op. 19 a, 1968   CBDM 1971
Rota, Nino   (1911) I
                    - Petite Offrande Musicale, 1943 Leduc 1955
Roussakis, Nicolas   (1934) USA
                    - Woodwind Quintet, No. 1   ACA
Rubin, Marcel   (1905) A
                    - Serenade für fünf Bläser, 1972 Doblinger 1973
Rudolf, Bert   (1905) A
                    - Musik für fünf Bläser à la
                      memoire de Stifter, 1970 7'30" Astoria
                    - Concerto Romano, 1975   12' Astoria

Rüggeberg, Michael   D
                    - Bläserquintett   (Bayer. Rundf.)
Rugolo, Pete   (1915) USA
                    - Bossa-Waltz   Alcove 1965
Rusch, Milton
                    - Quintet, 1964   Ms: U. of Wisc.
Russell, Armand
                    - Quintet   Ms: Mich. State U.
Russel, Robert
                    - Quintet, op. 32, 1970   13'   General Music
Ruyneman, Daniel   (1886 - 1963) NL
                    - Nightingale Quintet, 1949 16'   Donemus 1965
                    - Reflexions, No. IV, 1961   5'   Donemus 1961
Ryan, Pat
                    - A Haydn Movement   Chappell 1969
Rychlík, Jan   (1916 - 1964) CS
                    - Suite, 1946   SHV 1964
                    - Bläserquintett, 1960   Supraphon 1967
                      o: Supraphon SV 8315 F
                      Bläserquintett d. Tschech. Philh.

Saar, Robert   (1925)
                    - Kleine fränkische Tanzsuite   (Brüchle)
Sabeljev, B. W.   SU
                    - Suite   Muzyka 1966

Sachse, Hans Wolfgand (1899 - 1960) D
                    - Quintett, 1954   (Paclt)

```
                          - Feiermusik zur Jugendweihe      (IMB)
Sachsse, Hans             (1891 - 1960) D
                          - Bläser-Suite, op. 32, A-Dur     Böhm 1935
Saegusa, Shigeaki
                          - Woodwind Quintet                Ms: Library of
                                                            Congress 1964
Sæverud, Ketil            (1939) N
                          - Wind Quintet             13'    Ms: NMIC
Sagaev, Dimitur           BG
                          - Quintet, No. 1, 1964            Ms: Library of
                                                            Congress
                          - Quintet, No. 2                  (Prager Rundf.)
Saikkola, Lauri           (1906) SF
                          - Divertimento, 1952              (Vester)
                          - Divertimento, 1949              (Riemann)
                          - Bläserquintett, 1968            (Riemann)
Salač, Miloš              (1901) CS
                          - Bläserquintett, op. 4           (Kratochvíl)
Salgado, Luis Humberto (1903) EC
                          - Quintet, 1958                   (CA; Riemann)
Salich, Milan             (1927) CS
                          - Bläserquintett, 1962            (Gardavský)
Salmenhaara, Erkki        (1941) SF
                          - Quintet, 1964                   Finnish Music
Salvetti, Renzo           (1906) I / YV
                          - Bläserquintett, 1968            (Riemann)
Salzedo, Leonardo         (1921) England
                          - Divertimento, op. 40, 1954 20'  Lopés 1973
Sandström, Sven-David (1942) S
                          - Färgblandning, 1970      10'    STIM 1976
Santa Cruz Wilson, Domingo (1899) RCH
                          - Quintet, op. 33, 1960    16'    Peer 1967
Santiago, Armando José (1932) P
                          - Bläserquintett, 1963            (Riemann)
Santo, Samuel Benjamin (1776 - ?)
                          - Twenty-four Pieces              (Rasmussen)
Santoliquido, Francesco (1883) I
                          - Nocturne et Pastorale           Cor 1963
Sarabia, Antonio
                          - Variaciones y fuga sobre tema
                            antiquo                         Ms: SGAE
Šárová, Dagmar            (1926) CS
                          - Poetische Polka, 1952           (Prager Rundf.)
Šatra, Antonín            (1901) CS
                          - 3 Aquarellen, 1960              (Gardavský)
```

149

```
Sauer, Eugene Edwin   (1931)
                      - Suite of Little Pieces, 1956      Ms: Library of
                                                          Congress
Šauer, František      (1912) CS
                      - Bläserquintett, 1973             (SČSKU 1975)

Sauter, E.           (1928) USA
                      - Dedicatto a Shinola, 1956        (Gregory; Vester)

Saveliev, Boris V.   (1896) SU
                      - Suite für Bläserquintett         Meždunarod. 1975

Saygun, Ahmed Adnan  (1907) TR
                      - Wind Quintet, op. 46      20'    Peer 1976

Scarlatti, Alessandro (1660 - 1725) I
                      - Sonata (arr. Herder)             AMP 1970
                        o: Kaibala Records 20 B 01
                        Phoenix Woodwind Quintet

Scarlatti, Domenico Giuseppe (1685 - 1757) I
                      - Suite in F (arr.)                McGinnis & Marx

Scarmolin, A. Louis  (1890) USA
                      - Badinage                         Belwin 1941
                      - By the Sleepy Nile               Gamble 1941
                      - Scherzino al Antica              Pro Art
                      - Rustic Dance                     Barnhouse

Schabbel, Will       (1904)
                      - Bagatellen                       (IMB)

Schaefer, Theodor    (1904 - 1969) CS
                      - Bläserquintett, op. 5, 1935      Pazdírek 1941

Schafer, George
                      - Quintet                          (Peters)

Schäfer, Hermann     (1927) D
                      - Bläserquintett, 1955             (Riemann)

Schäfer, Karl Heinrich (1899 - 1970) D
                      - Dialog, Burleske und
                        Ritornell, 1966                  (Riemann)

Schäffer, Bogusław Julien (1929) PL
                      - Varianten                        (Riemann)

Schallenberg, Robert (1930) USA
                      - Woodwind Quintet, 1955           (Riemann)

Schat, Peter         (1935) NL
                      - Improvisations ans Symphonies
                        o: DAVS                    10'   Donemus 1960

Schatt, Leo          (1889)
                      - Partita                          Mannheimer
```

```
Schelb, Josef              (1894) D
                           - Quintett                        Ms (MGG)

Scherbaum, Adolf           A
                           - Heiteres und Ernstes in einem
                             Vorspiel und sieben Teilen,1965 (ORF)
                           - Quintett, 1968                  (ORF)

Scherrer, Heinrich         (1865)
                           - Altfranzösische Tänze, op. 11  Schmidt 1899

Schibler, Armin            (1920) CH
                           - Kaleidoskop, op. 41, 1954 17'  Ahn & Simrock '56

Schidlowski Gaete, León    (1931) RCH
                           - Woodwind Quintet, 1968          IMI

Schierbeck, Poul           (1888 - 1949) DK
                           - Capriccio, op. 53, 1941         Hansen 1951

Schiffman, Harold
                           - Divertimento                    Pan Pipes 1970
                           - Allegro con spirito di
                             San Niccolo              4'     AMP 1970

Schilling, Hans Ludwig (1927) D
                           - Bläserquintett "Zéacis Hafis",
                             op. 67, 1967                     Breitkopf & H.

Schindler, Gerhard         (1921)
                           - Divertimento notturno 13'10"    Modern 1957

Schiske, Karl              (1916 - 1969) A
                           - Bläserquintett, op. 24,
                             1945                      17'    Doblinger 1959

Schlemm, Gustav Adolf (1902) D
                           - Bläserquintett, 1940            Grosch 1963

Schmid, Heinrich Kaspar (1874 - 1953) D
                           - Bläserquintett, op. 28, 1919    Schott 1966

Schmidek, Kurt             (1919) A
                           - Sonatina, op. 31         11'    Doblinger 1963
                           - Bläserquintett, op. 54, 1971    (ORF)

Schmit, Camille            (1908) B
                           - Quintett                        CBDM 1965

Schmitt, Florent           (1870 - 1958) F
                           - Chants Alizés, op. 125, 1952    Durant 1955

Schmitt, Meinrad           (1935) D
                           - 1. Bläserquintett        12'    Orlando 1969
                           - 2. Bläserquintett        15'    Orlando 1971

Schmitt, Nicholas          (? - ca.1802)
                           - 3 Quintettes                    Pleyel *

Schmutz, Albert Daniel (1887) USA
                           - Scherzo Poétique                Cundy-B. 1938;
                                                             Fischer 1970

Schneeweis, Jan            (1904) CS
                           - Kindersuite, 1955               (Gardavský)
```

151

Dem Bubi Arnold

Quintett
für Flöte, Oboe, Klarinette, Horn und Fagott

Aufführungsrecht vorbehalten
Droits d'exécution réservés

I

Arnold Schönberg, Op. 26

Schwungvoll ♩=126 (sehr mäßige Halbe)

Copyright 1925 by Universal-Edition

In die „Philharmonia" Partiturensammlung aufgenommen

U. E. 7668   W. Ph. V. 230

152

```
Schneider, Horst
                    - Quintet, 1958              (Vester)
Schneider, Willy    (1907) D
                    - Bläserquintett             Möseler
Schollum, Robert    (1913) A
                    - 5 Stücke für Bläserquintett,
                      op. 82, 1970               Doblinger 1976
                    - Bläserquintett, op. 97     Doblinger
Schönberg, Arnold   (1874 - 1951) A
                    - Quintett, op. 26, 1924     UE 1925/70
                      o: Tel 6.35 268 HM
                         Atherton / London Sinfonietta
                      o: Wergo 60032
                         Bläserquintett des SWF
                      o: BASF EA 220 575
                         Danzi-Quintett
                      o: 2-Col. M 2 S - 762
                         Westwood Wind Quintet
                      o: GC/NEC 102
                         N.E. Conserv. Chamber Players
                      o: Col. ML-5217
                         Philadelphia Woodwind Quintet
                      o: Supraphon SV 8321 F
                         Bläserquintett d. Tschech. Philh.
Schönberg, Stig Gustav (1933) S
                    - Kleine Stücke, op. 8/3, 1957   Ms: FST
Schorr, E.
                    - Bläserquintett             Rep: Stuttgarter
Schouwman, Hans     (1902 - 1967) NL
                    - Nederlandse suite, op. 40 b,
                      1953                       Donemus 1960
Schremm, Harold
                    - Quintet                    (Wise)
Schröder, Hanning   (1896) D
                    - Divertimento, 1957         Peters
Schubert, Franz     (1797 - 1828) A
                    - Allegretto (arr. Holmes)   Barnhouse
                    - Rosamunde, Ballet Music (arr.) Fischer 1970
                    - Shepherd Melody (Rosamunde)
                      (arr. Schoenbach)          UE/Presser
                    - Valse sentimentale
                      (arr. Elkan)               Elkan
                    - Marche Hongroise
                      (arr. Taylor)              Mills
Schubert, Heino     (1928) D
                    - Musik für fünf Bläser      Mannheimer
```

```
Schubert, Manfred      (1937) D
                       - Moments musicaux              DVfM 1972
Schuller, Gunther A.   (1925) USA
                       - Suite, 1945                   McGinnis 1957
                       - Quintet, 1958                 Schott, London/
                                                       AMP 1968
Schultz, Svend Simon   (1913) DK
                       - Une Amourette, 1945           Skand. 1954
Schumann, Gerhard      (1914) D
                       - Aphorismen, 1960              Ms (Brüchle)
Schumann, Richard
                       - Pastoral, 1936               Ms: Library of
                                                       Congress
Schumann, Robert       (1810-1856) D
                       - Waldszenen, op.82 (arr.Renz)  Ms, Rep: Aulos
                       - New Year's Song (arr.)        Andraud *
                       - Knight Rupert (arr.)          McGinnis & Marx
                       - Fughette and Gigue
                         (arr. Sarlit)                 Baron
Schürer, Heinz         (1929) D
                       - Bläserquintett, op.27         Ms (Brüchle)
Schwake, Kurt Karl von (1890)
                       - Quintett, F-Dur, 1925         (Vester)
Schwartz, Elliott S.(1936) USA
                       - Interruptions, 1964           (Peters)
                       o: Adv. 11
                         U. Oregon Woodwind Quintet
Schwarz, Leonid
                       - Oriental Suite, 1932          Muzyka
Schwarz, Maximilian
                       - Bläserquintett                (IMB)
Schweinitz, Wolfgang von   D
                       - Bläserquintett, op.9          Rep: Bläserquin-
                                                       tett d. Stockholm.
Schwertsik, Kurt       (1935) A
                       - Eichendorff-Quintett, op.9,
                         1964                    11'   UE
                       - Querschnitt durch eine
                         Operette, op.13, 1966   7'    Doblinger
Search, Frederick P.(1889) USA
                       - Chinese Dance                 ACA
Šebek, Jan             (1928) CS
                       - Bläserquintett, 1952          (Prager Rundf.)
Segerstam, Leif Selim (1944) SF
                       - A Nnoooww, 1973               (Riemann)
                       o: Disco B 0 011
                         Helsinki-Quintett
```

Sehlbach, Oswald Erich (1898) D
- Kortum-Serenade, op. 30   Möseler 1952
  o: Cam LPM 30 016
     Bläserquintett d. Philh. Hungar.
- Bläserquintett, op. 113, 1969   Möseler

Seiber, Mátyás   (1905 - 1960) England
                        - Permutazioni a cinque, 1958   Schott 1959

Seidel, Jan   (1908) CS
                        - Bläserquintett, Nr. 1, 1941   (Kratochvíl)
                        - Concertino, 1947   (ČHS II)

Sejk, Karel   (1890 - 1967) CS
                        - Marionetten, Intermezzo op. 93,
                          1940   Ms: UK Brno
                        - Mazurka, op. 176   Ms: UK Brno

Semmler, Alex
                        - Quintet   (Houser)

Senallié, Jean Baptiste (1687 - 1730) F
                        - Rondo Serioso (arr. Taylor)   Mills
                        - Allegro Spirituoso   Rep: Phoenix
                          (arr. Rechtman)
                          o: Kaibala Records 20 B 01
                             Phoenix Woodwind Quintet

Serebrier, José   (1938) U
                        - Pequeña música, 1955   9'50" SMP/Peer 1961

Šesták, Zdeněk   (1925) CS
                        - Kassation in Dis, 1958   (Gardavský)
                        - Concertino, 1963   ČHF 1972
                        - Divertimento, 1968   ČHF 1972

Seter, Mordecai   (1016) IL
                        - Diptyque, 1955   6'   IMI 1965

Shafter, George
                        - Woodwind Quintet   Ms: Mich. State U.

Shapey, Ralph   (1921) USA
                        - Movements, 1960   ACA
                        - Quintet, 1964   (Wise)

Sharman, Grant
                        - Quintet   New Music

Shepherd, Arthur   (1880 - 1958) USA
                        - Divertissement, 1943   Ms: Cleveland
                                                         Institute

Sherman, Robert W.   (1921)
                        - Quintet, 1963
                          o: Now 9632
                             Musica Arts Quintet

Shulman, Alan   (1915)
                        - Folk Songs   (Houser)

```
Sibelius, Jean          (1865 - 1957) SF
                        - Berceuse (arr. Taylor)        Southern Music
                        - Pastorale (arr. Langenus)     Fischer 1970

Siccardi, Honorio       (1897 - 1963) RA
                        - Tres Cantos Argentinos, 1953  Ms (CA)

Siegl, Otto             (1896) A
                        - Bläserquintett, 1972          (ORF)

Siegmeister, Elie       (1909) USA
                        - Quintet, 1932            10'  (Schäffer)

Siennicki, Edmund
                        - Allegro                       Boosey 1966

Sigmund, Oskar          (1919) D
                        - Bläserquintett, 1957     16'  Ms (Brüchle)

Silliman, A. Cutler
                        - Quintet, No. 2                Ms: State U. N.Y.

Silverman, Faye-Ellen
                        - Windscape-Quintet             Seesaw 1966

Simbriger, Heinrich     D
                        - Bläserquintett, op.93, 1950 11'Ms
                        - Variationen, op. 103, 1958 19' Ms

Šimek, Miroslav         (1891 - 1967) CS
                        - Bläserquintett               ČHF 1974

Simon, Joseph
                        - Quintet                       (Houser)

Sirulnikoff, Jack       CDN
                        - The doctor in spite of himself,
                          1961                     18'  Ms: CMC
                          o: CMC tape

Škerjanc, Lucijan Marija (1900 - 1973) YU
                        - Quintett, 1925                (Paclt)

Skilton, Charles Sandorf (? - 1941)
                        - Sarabande                     (Houser)

Sklenka, Johann         (1911) A
                        - Quintett                 18'  AMA 1973

Skolaude, Walter        A
                        - 5 Assoziationen zu Graphiken
                          von Hans Fronius              (ORF)

Skorzeny, Fritz         (1900 - 1965) A
                        - Eine Nachtmusik für fünf
                          Bläser                        Doblinger 1967

Škvor, František        (1898) CS
                        - Bläserquintett a-Moll, 1953   (Schäffer)

Slates, Philip
                        - Sonatina                      (Peters)

Slavenski, Josip        (1896 - 1955) YU
                        - Quintett, 1930                (Vester)
```

Slavík, Gustav	(1905) CS	
	- Allegro, Variationen über	
	ein Volkslied	ČHF 1971
	- Poem I	ČHF 1971
Slonimskij, Sergej M.	(1932) SU	
	- Dialoge für Bläserquintett,	
	1964 10'	Sikorski
Słowiński, Władysław	(1930) PL	
	- Quintett, 1958 16'	PWM 1966
Smatek, Miloš	(1895) CS	
	- Wind Quintet	(Gardavský)
	- Scherzino	(Gardavský)
	- Divertimento	(Kratochvíl)
Smetáček, Václav	(1906) CS	
	- Davel's Polka	(Gardavský)
	o: Supraphon 53217-M	
	Bläserquintett d. Tschech. Philh.	
	- Mood Pictures, 1932	(Gardavský)
	- Polka slánských abiturientů	
	o: Supraphon 53217-M	
	Bläserquintett d. Tschech. Philh.	
	- Perpetuo brillante	(Gardavský)
	- Bläserquintett, 1930	(Gardavský)
	- Suite "Aus dem Leben der	
	Insekten", 1932	Continental '39
Smith, Donald		
	- Quintet	Shawnee
Smith, Leland C.	(1925)	
	- Quintet, 1951	ACA 1977
Smith, Russell	(1927) USA	
	- Woodwind Quintet, 1956	ACA
	- Fugue	ACA
Smutný, Jiří	(1932) CS	
	- Miniaturen, 1974	ČHF
	- Drei Sätze für Bläserquintett	Ms, Rep: Quintett Nationaltheater Prag
Snyder, Randall		
	- Quintet	Ms: U. of Wisc.
Sobeck, Johann	(1831 - 1914)	
	- Quintett F-Dur, op. 9, 1879	Bote & Bock 1879
	- Quintett Es-Dur, op. 11, 1891	Bosworth 1930
	- Quintett g-Moll, op. 14, 1891	Bosworth 1930
	- Quintett B-Dur, op. 23, 1897	Lehne 1897
	- Fantasie über "Lucia di	
	Lammermoor", op. 3	Oertel 1904
	- Larghetto	Belwin-Mills
	- Tarantella	Belwin-Mills
Sober, A.	SU	
	- Bläserquintett	ČHF

Sodderland, Jan	(1903) NL	
	- Quintet	Donemus 1960
Sodero, Cesare	(1886 - 1947) I / USA	
	- Morning Prayer	AMP 1933
	- Valse Scherzo	AMP 1933
Soeller		
	- Gavotte	Fitzsimons 1967
Sokola, Miloš	(1913 - 1975) CS	
	- Bläserquintett, 1973	(Prager Rundf.)
Somary, Johannes		
	- Quintet, 1957	(Wise)

Somers, Harry Stewart (1925) CDN
- Quintet, 1948   BMI
- Movement, 1957   (CA)

Somis, Giovanni Battista (1686 - 1763) I
- Adagio and Allegro
  (arr. Hernried)   Fischer

Sommer, Vladimír   (1921) CS
- Bläserquintett, 1949   (Kratochvíl)

Sommerfeldt, Øistein (1919) N
- "O, søde evangelie-lyd",
  1968   2'30" Ms: NMIC
- "Ret gjerne vil jeg flytte",
  1968   2'30" Ms: NMIC

Sønstevold, Gunnar (1912) N
- "Tjuagutten" (The Rascal) 17' Ms: NMIC

Sörenson, Torsten   (1908) S
- Musik für Blasinstrumente,
  1965   17' Ms: STIM

Sorrentino, Charles (1906) I
- Beneath the Covered Bridge   Mills 1963

Soukup, Vladimír   (1930) CS
- Bläserquintett, 1967   13' ČHF

Souris, André   (1899 - 1970) B
- Rengaines, 1937   Leduc 1955

Sowerby, Leo   (1895 - 1968) USA
- Quintet, 1916   15' Schirmer 1931
- Pop Goes the Weasel, 1927 5' Fitzsimons 1967
- Quintet, 1930   Ms: Library of
    Congress

Spahlinger, M.
- A la recherche für Bläser-   Rep: Stuttgarter
  quintett   Bläserquintett

Spencer, O. W.
- Playtime   (Peters)

Speth, H.
- Capriccio, 1950   (Vester)

```
Spies, Leo              (1899 - 1965) D
                        - Sonate für fünf Bläser        IMB/Bärenreiter
Spisak, Michał          (1914 - 1965) PL
                        - Quintett, 1949          14'   PWM 1966
Sprongl, Norbert        (1892) A
                        - Quintett C-Dur, op. 90,
                          1951                    20'   Doblinger 1965
Šrámek, Vladimír        (1923) CS
                        - 5 Quintette, 1951 - 1961      (Vester)
                        - Metra symmetrica              Selbstverlag '61
Srnka, Jiří             (1907) CS
                        - Bläserquintett, 1927          (SČSKU 1975)
                        - Divertimento, 1967            (Prager Rundf.)
Staempfli, Edward       (1908) CH
                        - Quintett, 1934          20'   Ms: SMA
                        - Variations, 1950              (Rasmussen)
Stainer, Charles
                        - Scherzo, op. 27               Boosey 1955
                        - Improvisation, op. 28         Schott
Standford, Patric John (1939) England
                        - Suite française, op. 1, 1964  (Riemann)
Starer, Robert          (1924) A / USA
                        - Serenade                      (Houser)
Stark, Robert           (1847 - 1922) D
                        - Quintet concertante, op. 44   Hinrichsen
Stearns, Peter Pindar   (1931) USA
                        - Quintet for Winds, 1966       ACA 1977
                          o: CRI S-318
                             Dorian Woodwind Quintet
Štědroň, Miloš          (1942) CS
                        - Musica ficta, 1969            (Prager Rundf.)
Steel, Christopher      (1939)
                        - Divertimento, 1964            Novello 1965
Steggall, Reginald      (1867 - 1938)
                        - Quintet, op. 21               (Gregory)
Stein, Herman           (1915) USA
                        - Sour Suite for Woodwind Quintet Scott 1971
                          o: Crystal S-811
                             Westwood Quintet
Stein, Leon             (1910) USA
                        - Quintet, 1937           20'   ACA
Stekl, Konrad           (1901) A
                        - Musik, op. 82/b, 1971         Mss:
                        - Fünf Fragmente, op. 96, 1973  Steirischer
                        - Miniaturen I, op. 125/a, 1976 Tonkünstler-
                        - Miniaturen II, op. 125/b, 1976 bund
```

```
Sternberg, Hans       D
                      - Bläserquintett              Ms

Stevens, Noel
                      - Quintet, op. 10             (Peters)

Stewart, Kensey D.    (1933)
                      - Two Movements              Contemp. Music

Stewart, Robert       (1918)
                      - Three Pieces               ACA 1977
                      - Five Visions               ACA 1977

Stockhausen, Karlheinz (1928) D
                      - "Adieu", 1966              UE

Stoker, Richard       (1938) England
                      - Wind Quintet, 1962         Hinrichsen 1971

Stolte, Siegfried
                      - Allegro für fünf Bläser    (IMB)

Stone, David          (1922)
                      - Prelude and Scherzetto     Novello 1956

Storp, Sigmund Hans   (1914)
                      - Kammermusik, 1960          Möseler 1962

Stradella, Alessandro (1644 - 1682) I
                      - Sonata in G (arr.)         McGinnis & Marx

Straesser, Ewald      (1867 - 1933) D
                      - Quintett                   (Houser)

Straight, Willard     (1930)
                      - Quintet, 1959              (Wise)

Strens, Jules         (1892) B
                      - Quintett, op. 34, 1943     22'   CBDM 1969

Stringfield, Lamar    (1897 - 1959) USA
                      - A Moonshiner Laughs        Baron 1940
                      - An Old Bridge, 1936        Leeds
                      - Virginia Dare Dance        (Rasmussen)

Strobl, Otto          A
                      - Suite für Bläserquintett   Doblinger 1974

Strom, Kurt           (1903) D
                      - Wiener Serenade im klassischen
                        Stil                       Ms (Brüchle)

Strømholm, Folke      (1941) N
                      - Wind Quintet, op. 21       8'  Ms: NMIC 1972

Strong, George Templeton (1856 - 1948) CH
                      - Cinq aquarelles            19'  Siècle Musical '33

Strube, Gustav        (1867 - 1953) USA
                      - Quintet, 1930              35'  (Riemann)

Strunz, Jacob         (1783 - 1852)
                      - Quintets                   (Rasmussen)
```

Stürmer, Bruno	(1892 - 1958)	
	- Quintett, op. 26	(Rasmussen)
Stutschewsky, Joachim (1891) IL		
	- 4 Sätze für Bläserquintett,	Rep: Israel
	1967	Woodwind Quintet
Suchoň, Eugen	(1908) CS	
	- Serenade, op. 5, 1932	SHF
Suchý, František	(1891 - 1973) CS	
	- Bläserquintett, 1936	(Kratochvíl)
Suchý, František	(1902 - 1977) CS	
	- Bläserquintett, op. 5, 1928	(Gardavský)
	- Kleine Tanzsuite, op.10, 1931	(Gardavský)
	- Wind Quintet, 1936	Boosey & Hawkes
	- Konzertantes Bläserquintett,	
	op. 34, 1947	Panton 1969
	- Three Czech Dances, op.40, 1952	(Gardavský)
	- Bläserquintett, op. 45, 1958	(ČHS II)
Suder, Joseph	(1892) D	
	- Drei Sätze für Bläserquintett,	
	1976 16'	Ms
Sulyok, Imre	(1912) H	
	- Song and Roundelay, 1962	(Contemp. Hungar.)
	- Musica arcaica, 1968	EMB/Schott
Sulzer, Balduin	A	
	- Quintett	(ORF)
Sun, Muammer	(1932) TR	
	- Serpinti ("Verstreute Skizzen"),	
	16 Stücke, 1966	Ankara Devlet
	(+ Bariton ad lib.)	Konserv. 1974
Sund, Robert		
	- Per Spelman, Variationer för	
	blaskvintett, ca. 1975	Gehrmans 1976
Surdin, Morris		
	- Piece, 1969	Ms : CMC
Susato, Tielman	(ca. 1500 - 1561)	
	- Old Dutch Dances (arr. Bonsel) Wolfe	
Suter, Hermann	(1870 - 1926) CH	
	- Quintett	(Vester)
Suter, Robert	(1919) CH	
	- Quatre Etudes, 1962 12'15"	Henn 1962
Svěcený, Ladislav	(1881) CS	
	- 2. Suite	(Gardavský)
Svoboda, Jiří	(1897 - 1970) CS	
	- Divertimento semplice, op. 23,	
	1942	(Riemann)
Swack, Irwin		
	- Quintet	(Rasmussen)

SERENADE

nach Altgrazer Kontratänzen

Jenö Takács, op. 83 a

I. Ouverture

ⓒ Copyright 1977 by Ludwig Doblinger (Bernhard Herzmansky) K.G., Wien - München.
D. 14.910

162

```
Sweelinck, Jan Pieterszoon (1562 - 1621) NL
                 - Variations on a Folksong
                   (arr. Lubin)                      Boosey & Hawkes
Sydeman, William  (1928) USA
                 - Quintet, No. 1                    Seesaw 1967
                 - Quintet, No. 2                    McGinnis 1964
                   o: Adv. 11
                   Univ. of Oregon Woodwind Quintet
                 - Texture Studies for Quintet       Seesaw 1966

Sylvan, Sixten
                 - Quintet, op. 5, 1949              Ms: STIM 1976

Szalonek, Witold  (1927) PL
                 - Aarhus Music, 1970       10'45"   PWM 1971/Seesaw

Szałowski, Antoni (1907 - 1973) PL
                 - Quintet, 1954                     Omega 1956

Székely, Endre    (1912) H
                 - Quintet, No. 1, 1952              Mills 1960
                 - Quintet, No. 2, 1961              EMB 1967
                 - Quintet, No. 3, 1966              (Paclt)

Szeligowski, Tadeusz (1896 - 1963) PL
                 - Quintett, 1950             18'    PWM 1955

Szervánsky, Endre (1911) H
                 - Quintett, Nr. 1, 1951             EMB 1957
                 - Quintett, Nr. 2, 1957             EMB 1960

Taffanel, Paul Claude (1844 - 1908) F
                 - Quintet in g                20'   Leduc 1878
                 - dito                              IMC
                   o: Con. Disc 1222 / 222 / Ev.3080
                   New York Woodwind Quintet

Tahourdin, Peter  (1928) AUS
                 - Three Pieces                      Australian 1966

Takácz, Jenö (von) (1902) H / A
                 - Eine kleine Tafelmusik, Diverti-
                   mento, op. 74, 1962      14'30"   Doblinger 1964
                 - Serenade nach Altgrazer
                   Kontratänzen, op. 83 a            Doblinger 1977
                 - Paprika Jancsi                    (Doblinger)

Takata, Saburo    (1913)
                 - Suite, 1952                       (Rasmussen)

Tal, Josef        (1910) IL
                 - Woodwind Quintet, 1966      12'   IMI

Talich, Václav    (1883 - 1961) CS
                 - Intonation Studies                Ms: VŠMU

Tamayo, Arturo    E
                 - Thanatos-athanatos, 1968          Ms: SGAE

Tanenbaum, Elias  (1924) USA
                 - Sonatina                          ACA
                 - Quintet, No. 2                    ACA

                              163
```

Tapper, T.
                    - Three Minuets   Kalmus

Taranov, Glib Pawlowitsch (1904) Ukraine
                    - Quintett, op. 38, 1958/59   Muzgiz 1965

Tartini, Giuseppe   (1692 - 1770) I
                    - Arioso in e (arr. Trinkaus)   Andraud *
                    - Evening Song (arr. Trinkaus)   Kay
                    - Largo from Violin Sonata in g
                      (arr. Trinkaus)   McGinnis & Marx

Tausinger, Jan   (1921) CS
                    - Zwei Apostrophe, 1969   6'   ČHF

Tautenhahn, Gunther (1938) USA
                    - Woodwind Quintet, 1971   4'30" Seesaw 1966

Tavares, Mário   (1928) BR
                    - Woodwind Quintet, 1964   (Riemann)

Taylor, Clifford
                    - Quintet, No. 2   ACA 1977
                    - Quintet, No. 7   ACA 1977

Taylor, Lawrence
                    - Suite miniature   Mills 1960

Taylor, Ross
                    - Woodwind Quintet   Southern 1975

Telcs, Adam   (1914) S
                    - Quintet   Reuter 1971

Telemann, Georg Philipp (1681 - 1767) D
                    - Ouvertürensuite D-Dur
                      (arr. Weigelt)   Leuckart 1937

Tellez, José Luis
                    - Seperposicion 1, 1967   7'30" Ms: SGAE

Templeton, Alex
                    - Passepied (arr. Rhoads)   Presser

Teppa, Carlos   (1923) YV
                    - Sonata, 1964   (Riemann)
                    - Suite infantil, 1969   (Riemann)

Tepper, Albert   (1921)
                    - Dance Souvenirs   Seesaw
                    - Minuet, No. 1, 1948   Mss: Library
                    - Minuet, No. 2, 1948   of Congress

Teuber, Fred   (1929) USA
                    - Introduction Piece   Shawnee 1972

Teuscher, Wolfgang D
                    - Kleine Kammermusik   Ms (Brüchle)

Thatcher, Howard R. (1878) USA
                    - Quintet   (Brüchle)

                              164

Thiele, Siegfried   (1934) D
                      - Bläserquintett, 1962   (Riemann)
Thierac, Jacques   (1896)
                      - Sonatina, ca. 1960   (Vester)
Thilman, Johannes Paul (1906 - 1973) D
                      - Quintett, op. 44, 1948   MDV 1951
                      - Aphorismen   Breitkopf & H.,
                                                      Leipzig 1966
Thomas, Adrew   (1939) USA
                      - Two Studies for Woodwind Quintet
                      o: Opus One 8
                      Gilbert, Lucarelli, Greenberg,
                      Jolley, Ellert

Thomas, Charles
                      - Gavotte from Mignon
                      (arr. Trinkaus)   Franklin

Thomsen-Muchová, Geraldine (1917) CS
                      - Serenata, 1964   Panton 1968

Thuille, Ludwig   (1861 - 1907) A
                      - Gavotte from Sextet, op. 6
                      (arr.)   Fischer 1970

Tichý, Otto Albert   (1890) CS
                      - Bläserquintett   (Gregory)

Tiessen, Heinz   (1887 - 1971) D
                      - Kleine Schularbeit, op. 43 a (Rasmussen)
                      - Divertimento, op. 51, 1942 22' Kistner 1956

Tintori, Giampiero   (1921) I
                      - Bläserquintett, 1955   (Riemann)

Tisné, Antoine   (1932) F
                      - Disparates, 1967   Billaudot 1976

Toebosch, Louis   (1916) NL
                      - Sarabande en Allegro, op. 71,
                      1959   Donemus 1965
Tofte-Hansen, Poul   (1914) DK
                      - Suite, 1974   Ms

Toldi, Julius
                      - Little Suite   (Houser)

Toman, Josef   (1894) CS
                      - Bläserquintett, op. 51, 1953 (Prager Rundf.)
                      - II. Bläserquintett, 1967   (ČHS II)

Tomasi, Henri   (1901 - 1971) F
                      - Quintette, 1952   Lemoine 1953
                      - Variations sur un thème Corse Leduc 1938
                      - Cinq dances profanes et sacrées Leduc 1963

Tomkins, Thomas   (1572 - 1656) England
                      - Two English keyboard pieces
                      (arr.)   Mills

Torjussen, Trygve   (1885) N
                      - Norwegian Wedding Dance

                      165

```
Tosar, Errecart Hector (1923) U
                - Divertimento, 1957               (CA; Riemann)
Trăilescu, Cornel   (1926) R
                - Bläserquintett, 1963             (Cosma)
Trede, Yngve Jan    (1933) DK
                - Le Chant des Oiseaux             Ugrino 1959
Tremblay, George A. (1911) CDN / USA
                - Quintet, 1940                    McGinnis & Marx
                - Quintet, 1950                    (Riemann)
Trexler, Georg      (1903) D
                - Spitzweg-Suite, 1956            Breitkopf 1970
Trojan, Václav      (1907) CS
                - Bläserquintett im alten Stil,
                  op. 8, 1937              20'     SNKLHU 1956
                - II. Bläserquintett, 1953
                  o: Supraphon DV 5362
                     Novák, Shejbal, Rybín, Štefek, Vacek
                - Divertimento
                  o: Supraphon 1 19 2406
                     Prager Bläserquintett

Tschaikowsky, Peter Iljitsch (1840 - 1893) Russland / Russia
                - Melody, op. 42/3
                  (arr. Lychenheim)               Fischer 1970
                - April, op. 37/4
                  (arr. Trinkaus)                 Kay 1935
                - June, op. 37/6
                  (arr. Trinkaus)                 Kay 1935
                - Suite No. 1 (arr. Taylor)       McGinnis & Marx
                - Andante Cantabile from String
                  Quartet, op. 11 (arr.)          Fischer 1970
                - Suite aus "Dornröschen"         Muzyka
                - Music for the Young
                  (arr. Taylor)                   Artransa

Tscherepnin, Alexander N. (1899) Russland / Russia
                - Bläserquintett                  Peters 1977

Tsouyopoulos, Georges S. (1930) GR
                - Musik für Bläserquintett,
                  1966                      10'   Gerig 1971

Tull, Fischer       (1934) USA
                - Suite for Woodwind Quintet      Shawnee 1969

Turechek, Edward
                - Introduction and Scherzo        Witmark 1933

Turner, Godfrey     (1913) USA
                - Suite                           (Houser)

Turner, Robert      (1920) CDN
                - Serenade, 1960                  CMC

Turok, Paul         (1929) USA
                - Wind Quintet, op. 17, 1956      Seesaw 1966
                - Duo Concertante, op. 27 a       Seesaw 1966
                - Picture No. 99, op. 34/2        Seesaw 1966
```

Tuthill, Burnet C.	(1888) USA	
	- Sailor's Hornpipe, op. 14/1, 1935	Fischer 1937
	- Variations on "When Johnny Comes Marching Home", op. 9	Sansone
Tylňák, Ivan	(1910) CS	
	- Bläserquintett, op. 15, 1947	(Prager Rundf.)
	- II. Bläserquintett, 1958	ČHF
Uhl, Alfred	(1909) A	
	- Humoresque, 1965	(Bigotti)
Ullrich, Josef	(1911) CS	
	- Bläserquintett	(Gardavský)
Ulrich, Hugo		
	- Masterworks for Woodwinds	(Houser)
Uray, Ernst Ludwig	(1906) A	
	- Hommage à Johann Strauß für Bläserquintett, 1967	Doblinger 1978
	- Musik für Bläserquintett in zwei Sätzen, 1962 10'50"	Doblinger 1965
Urban, Rudolf	(1882 - 1961) CS	
	- Landsuite, 1955	(ČHS II)
Urbanec, Bartolomej	(1918) CS	
	- Frühlingsstimmung, 1962	SHF
Urbanec, Rudolf	(1907) CS	
.	- Polka-Groteske	(Gardavský)
	o: Supraphon 53216-M Bläserquintett d. Tschech. Philh.	
Urbanner, Erich	(1936) A	
	- Etüde für Bläserquintett, 1965 4'	Doblinger 1966
	- Improvisation IV, 1969	Ms: ÖKB
Vacek, Miloš	(1928) CS	
	- Wiegenlied, 1951	(Kratochvíl)
Vačkář, Dalibor C.	(1906) CS	
	- Quintetto giocoso	ČHF
Valen, Olav Fartein	(1887 - 1952) N	
	- Serenade, op. 42, 1947 10'	Lyche 1954
	o: Philips 839 248 AY	
Valente, William E.	(1934)	
	- Divertimenti	Contemp. Music
Valjean, Paul		
	- Dance Suite	Rep: Wingra Wind Quintet
Vandor, Ivan	(1932) H	
	- "Winds 845", 1969 7'30"	Zerboni 1970
Van Hulse, Camille	(1897) USA	
	- Quintet, op. 3	Shawnee 1963

```
Van Vactor, David      (1906) USA
                       - Divertimento, 1936          (CA)
                       _ Gavotte, 1940               (CA)
                       - Quintet, 1959               (CA)
                       - Suite                       Pan Pipes 1970
Varèse, Edgar          (1885 - 1965) F / USA
                       - Density 21.5                Rep: Phoenix
Vasilenko, S.
                       - Suite für Bläserquintett    Rep: Foerster-
                                                     Bläserquintett
Vaubourgoin, Julien-Fernand (1880 - 1952) F
                       - Quintette                   (Vester)
Vaubourgoin, Marc      (1907) F
                       - Quintette à vent, 1932      (Riemann)
Vauda, Zlatan          YU
                       - Les Pastels                 (Bayer. Rundf.)
Vazzana, A. E.
                       - Quintet                     Ms: U. of Wisc.
Veerhoff, Carlos H.    (1926) D / RA
                       - 1. Bläserquintett, 1958/59  Bote & Bock 1963
                       - 2. Bläserquintett, 1970     Zerboni 1973
Veidl, Antonín         CS
                       - Humoristik-Quintett, 1940   Ms: UK Brno
Velasco Maidana, José María (1900) BOL
                       - Suite andina, 1956          (Riemann)
                       - Bläserquintett, 1965        (Riemann)
Velden, Renier van der (1910) B
                       - First Concerto, 1939   17'  CBDM 1969
                       - Second Concerto, 1955  16'  CBDM 1969
                       o: Deca 143.333
                          Quintette à vent de Bruxelles
Vélez, Camarero Esteban    E
                       - Bagatela                    Ms: SGAE
Vendler, Bohumil       (1865 - 1948) CS
                       - Ländler für Bläserquintett  Ms: JAMU
Veress, Sándor         (1907) H
                       - Bläserquintett, 1968        (Riemann)
Verneuil, Raoul de     (1899) PE
                       - 3 Quintette                 (Riemann)
Verrall, John W.       (1908) USA
                       - Serenade, No. 1, 1944       Presser 1947
                       - Serenade, No. 2, 1954       Tritone
Veselý, Alois          (1928) CS
                       - Bläserquintett im alten Stil,
                         1953                         (ČHS II)
```

```
Vetessy, Georg          (1923) H
                        - Serenade              18'    Modern

Victory, Gerard         (1921) IRL
                        - Woodwind Quintet, 1957       (Riemann)

Vieira Brandão, José    (1911) BR
                        - Divertimento, 1969           (Riemann)

Vignati, Miloš          (1897 - 1966) CS
                        - Bläserquintett, op. 17       (Kratochvíl)

Villa, Rojo Jesús       E
                        - Tres piezas sobre ritmos
                          desvirtuados, op. 2a, 1966   Ms: SGAE
                        - Cuatro movimientos, op.3, 1966 Ms: SGAE

Villa-Lobos, Heitor     (1887 - 1959) BR
                        - Quintette en forme de Chôros,
                          1928 / rev. 1958             Eschig 1928/
                          o: Philh. 110               1953 / 1966
                          New York Woodwind Quintet
                          o: West 5360
                          New Art Wind Quintet
                          o: Lyr. 7168
                          Soni Ventorum Wind Quintet
                          o: Orion 73123
                          Woodwind Arts Quintet

Vincze, Imre            (1926 - 1969) H
                        - Divertimento, 1962           EMB 1967

Vinter, Gilbert         (1909)
                        - Sonata for Wind Quintet      (Peters)
                        - Two Miniatures               Boosey 1950

Viru, Valdcko
                        - Quintet for Winds, 1965      Rep: Phoenix

Vlach-Vrutický, Josef (1897) CS
                        - Cassazione , 1966            ČHF

Vlijmen, Jan van        (1935) NL
                        - Quintet, 1960                Donemus 1965
                        - Quintet, No. 2, 1972    23'  Donemus 1975

Vodrážka, Karel         (1904) CS
                        - Puppensuite, 1947            (Gardavský)

Vojáček, Jindřich       (1888 - 1945) CS
                        - Bläserquintett, op. 47, 1938 (Kratochvíl)

Voss, Friedrich         (1930) D
                        - Capriccioso, 1965            Breitkopf 1966

Vostřák, Zbyněk         (1920) CS
                        - Sextant, op. 42, 1969        (Riemann)

Votoček, Emil           (1872 - 1950) CS
                        - Suite, 1938                  (Kratochvíl)
```

```
Vránek, Gustav        (1906) CS
                      - Bläserquintett, 1945        (Kratochvíl)

Vredenburg, Max       (1904) NL
                      - "Au Pays des Vendages", suite
                        brève, 1951            8'   Donemus 1955

Vries, Klaas de       (1944) NL
                      - Three Pieces, 1968           Donemus

Vuataz, Roger         (1898) CH
                      - Musique pour cinq instruments
                        à vent, op. 48, 1935   17'  Ms: SMA

Wagemans, Peter-Jan   NL
                      - Bläserquintett, op. 6, 1973  12'  Donemus 1975

Wagner, Joseph Frederick (1900 - 1974) USA
                      - Fantasy and Fugue, 1968      (Riemann)

Wagner, Richard       (1813 - 1883) D
                      - Albumblatt (arr. Taylor)     Southern Music
                      - Siegfried Idyll              Ms, Rep:
                        (arr. Lovelock)              Adelaide Wood-
                        o: HMV:OASD 7570             wind Quintet
                        Adelaide Woodwind Quintet

Wahlich, Marcel
                      - Quintet                      (Vester)

Walker, Richard       (1912) USA
                      - Adagio and Allegro           Barnhouse 1953
                      - In Joyous Mood               Barnhouse 1954

Walter, Fried         (1907) D
                      - Quintett für Bläser   15'40"  Zimmermann

Walters, H.
                      - Waggery for Woodwinds        (Houser)

Walther, Erwin        D
                      - "Black Suite" nach Spirituals
                        und Blues                    (Bayer. Rundf.)

Walzel, Leopold Matthias (1902 - 1970) A
                      - Quintetto impetuoso, op. 42
                                             15'30"  Doblinger 1968

Ward, William R.      (1917 - ?)
                      - Little Dance Suite           Mills 1949

Ward-Steinman, David (1936) USA
                      - Montage for Woodwind Quintet  ACA

Washburn, Robert      (1928) USA
                      - Suite, 1962                  Elkan-Vogel
                      - Quintet for Winds            OUP

Waterson, James
                      - Quintet in F                 Lafleur 1922

Weber, Alain          (1930) F
                      - Quintette, 1954              Leduc 1956
```

Weber, Ben   (1916) USA
                         - Consort of Winds, op. 66,
                           1974   18'   Bomart 1976

Weber, Carl Maria von (1786 - 1826) D
                         - Rondo (arr. Kesner)   McGinnis & Marx
                         - Dritte grosse Sonate, op. 49,   Mss, Rep:
                           d-Moll (arr. Renz)   Aulos Bläser-
                         - Vierte grosse Sonate, op. 70,   quintett
                           e-Moll (arr. Renz)

Weber, Josef Miroslav (1854 - 1906) Böhmen / Bohemia
                         - Bläserquintett, 1900   Ms: JAMU

Weber, Ludwig   (1891 - 1947) D
                         - Quintett, 1923   Möseler
                           o: Cam LPM 30 016
                           Bläserquintett d. Philh. Hungar.

Weigel, Eugene   (1910)
                         - Short, Slow and Fast, 1949   (Rasmussen)

Weigl, Karl   (1881 - 1949) A
                         - Four Bagatelles   ACA 1977

Weigl, Vally   (1899) USA
                         - Mood Sketches   McGinnis & Marx

Weiner, Stanley Milton (1925) USA
                         - Serenade, op. 38, 1971   Rep: Israel
                                                           Woodwind Quintet

Weingerl, Albin   (1932) YU
                         - Eclogue   8'   DSS 1974

Weinzweig, John Jacob (1913) CDN
                         - Woodwind Quintet, 1963/64   Ms: CMC
                           o: RCA

Weis, Carl Flemming   (1899) DK
                         - Serenade, 1938   11'   Hansen 1941
                         - Tema con variazioni, 1946 10'   Warny 1970

Weiss, Adolph   (1891 - 1971) D / USA
                         - Quintet, 1932   10'   ACA
                         - Vade Mecum, 1959   (Cobbett)

Welin, Karl-Erik   (1934) S
                         - "Etwas für ...", 1966   17'   Hansen 1970

Wellejus, Henning   (1919) DK
                         - Quintet, 1969   10'   Samfundet 1971

Wellesz, Egon Joseph   (1885 - 1974) A
                         - Suite, op. 73   10'30" Sikorski 1966

Wendel, Martin   (1925) CH
                         - Quintett für Bläser, 1963 12'   Selbstverlag

Werder, Felix   (1922) D / AUS
                         - Quintet for Winds   Rep: Adelaide
                           o: HMV:OASD   Woodwind Quintet
                           Adelaide Woodwind Quintet

Weston, Philip	(1900)		
	- Arbeau Suite		Elkan 1962
Wettstein, Peter	(1939) CH		
	- Metamorphosen, 1969	12'	Ms: SMA
Wharton, John			
	- Quintet		(Houser)
Whear, Paul	(1925) USA		
	- Quintet, 1956		Leblanc 1964
Whettam, Graham Dudley (1927) England			
	- Quintet, op. 19		de Wolfe
White, Donald H.	(1921) USA		
	- "Three for Five"		Shawnee 1964
	o: Golden Crest S-4075		
Whittenberg, Charles (1927) USA			
	- Games for Five, op. 44, 1968		Ms: U. of Conn.
	o: Adv. 11		
	Univ. of Oregon Quintet		
	o: Ser. 12028		
	Univ. of Connecticut Wind Quintet		
	- Fantasy		ACA 1977
Widmer, Ernst	(1927) CH / BR		
	- Quintett, Nr. 1, op. 12,		
	1954	21'30"	Selbstverlag
	- Quintett, Nr. 2, op. 63,		
	1969	13'	Ms: SMA
	- Quodlibet über vier Volks-		
	lieder	5'	Ms: SMA
Wiefler, Florian	(1908) A		
	- Bläserquintett, 1963		Mss: Steir.
	- Drei Nachtstücke, 1971		Tonkünstler
Wijdeveld, Wolfgang (1910) NL			
	- Quintett, 1934	14'	Donemus 1965
Wilder, Alec	(1907) USA		
	- Quintet, No. 1		Wilder
	o: Philh. 110		
	New York Woodwind Quintet		
	- Quintet, No. 2, 1956		Wilder
	- Quintet, No. 3		Schirmer 1960
	o: Con. Disc 223		
	New York Woodwind Quintet		
	- Quintet, No. 4, 1958		Wilder
	o: Con. Disc 223		
	New York Woodwind Quintet		
	- Quintet, No. 5		Wilder
	- Quintet, No. 6, 1960		
	o: Con. Disc 223		
	New York Woodwind Quintet		
	- Quintet, No. 7		Wilder
	- Quintet, No. 8		Wilder

172

	- Quintet, No. 9	11'50"	Wilder
	- Quintet, No. 10		⎰ Rep: Wingra
	- Quintet, No. 11		⎱ Wind Quintet
	- Quintet, No. 12		
	- Suite for Quintet		Wilder
	- Suite for non-voting Quintet		Wilder
Wildschut, Clara	(1906 - 1950)		
	- Kleine Serenade, 1946		Donemus
Wiley, Charles			
	- Quintet, 1950		(Peters)
Wilimek, Eduard			
	- Quintett		(Bayer. Rundf.)
Williams, Clifton	(1923)		
	- Concert Suite		Southern 1966
Williams, David Russell			
	- Fanfare		Ms: Sibley Library
Wilson, Donald M.			
	- Stabile II		ACA
Winbeck, Heinz	(1946) D		
	- Musik für Bläserquintett	9'	Orlando 1972
Winkel, Hans Herbert	(1913) D		
	- 3 Burlesken, 1963	3'15"	Sikorski 1972
	- "Molly Bralla Ghan", Variationen über ein irisches Lied		(Bayer. Rundf.)
Winstead, William			
	- Woodwind Quintet		Ms: U.West Virginia
Winter, Paul	(1894 - 1970) D		
	- Stifter-Suite II, 1949	18'	Ms
Wirén, Dag Ivar	(1905) S		
	- Bläserquintett, op. 42, 1971	14'	Gehrmans
Wirth, Helmut	(1912) D		
	- Kleine Clementiade, Scherzo		Sikorski 1961
	- Heiteres Spiel, 1937		Hüllenhagen 1953
Wisłocki, Leszek	(1931) PL		
	- 2 Bläserquintette, 1967		(Riemann)
Wisse, Jan	(1921) NL		
	- Limitazioni No. 2, 1962	7'	Donemus 1962
	- Epitaphium, 1962		Donemus 1962
Wissmer, Pierre	(1915) CH		
	- Quintett, 1964	12'	Ricordi 1965
Witherspoon, Valerie	(1943)		
	- Woodwind Quintet		Ms: U. of Wisc.
Wittinger, Róbert	(1945) H		
	- "tensioni per fiati", op. 15, 1970		Breitkopf 1970

```
Wolstenholme, William (1865-1931)
                      - Quintet in F                    (Rasmussen)
Wolter, Detlef        (1933) D
                      - Thema mit Variationen, 1957     Kahnt 1963
Wood, Charles         (1866-1926) IRL
                      - Quintet in F                    Boosey 1933
Wood, Thomas          (1892-1950)
                      - The Brewhouse at Bures          Stainer 1929
Woollen, Russell      (1923) USA
                      - Quintet, 1955                   ACA 1977
Woollett, Henry       (1864-1936) F
                      - Quintette                       (Houser)
Wuensch, Gerhard      (1925) CDN
                      - Second Quintet, op. 34          Ms: CMC
Wünsch, Jan Maria     (1908) Böhmen/Bohemia / USA
                      - Bläserquintett, a-Moll          (ČHS II)
Wuorinen, Charles     (1938) USA
                      - Quintet, No. 1                  ACA
                      - Movement for Wind Quintet       Presser 1967
Würdinger, Ernst      A
                      - Bläserquintett, op. 8           Doblinger 1975
Würz, Anton           (1903) D
                      - Quintett, op. 59, Es-Dur, 1962  (Brüchle)

Yoder, Paul
                      - Dry Bones                       Kjos 1967
                      - Relax                           Kjos 1967
York, Walter Wynn
                      - Neo-Gothics                     Pyraminx
Zádor, Eugene         (1894) H
                      - Wind Quintet, 1972
                      o: Orion 73126
                          Los Angeles Wind Quintet
Zafred, Mario         (1922) I
                      - Sinfonietta                     Ricordi
                      - Quintetto, 1952                 Ricordi 1975
Zagwijn, Henri        (1878-1954) NL
                      - Quintet, 1948              12'  Donemus 1965
Zahradník, Zdeněk     (1936) CS
                      - Bläserquintett                  ČHF
Zámečník, Evžen       (1939) CS
                      - Bläserquintett                  Ms, Rep: Philh.
                                                        Quintett Brno
Zamecnik, John
                      - Allegro guibiloso               Fox 1937
```

Serenade

für Flöte, Oboe, Klarinette, Fagott und Horn

1. Irgendwo — eine Schöne ..?

© 1968 Astoria Verlag Berlin

A.V. 744

Zaninelli, Luigi	(1932) USA		
	- Musica Drammatica		Shawnee 1968
	- Dance Variations		Shawnee 1962
	o: GC S-4075		
	American Woodwind Quintet		
Zarharias, Walter	(1909) DK		
	- Canto serioso, op.37, 1952	10'	Ms
Zehelein, Alfred	(1902) D		
	- Quintett, op.58, 1955		Ms (Brüchle)
Zehm, Friedrich	(1923) D		
	- Bläserquintett, 1955		(Riemann)
Zehnder, Max	(1901 - 1972) CH		
	- 6 Miniaturen, 1969	12'	Ms: SMA
Zelenka, István	(1936) H / A		
	- Chronologie, 1965		Doblinger 1966
Železný, Lubomír	(1925) CS		
	- Bläserquintett, 1969		(Prager Rundf.)
Zender, Hans	(1936) D		
	- Quintett, op.3, 1950		Bote 1953
Zich, Jaroslav	(1912) CS		
	- Scherzo für Bläserquintett, 1932		(Schäffer)
	- Kleine Serenade		(Prager Rundf.)
Zieritz, Grete von	(1899) A / D		
	- Serenade, 1965	14'15"	Astoria 1968
Zika, Richard	(1897 - 1947) CS		
	- Suite, 1936		(Kratochvíl)
	o: Supraphon 4715-M		
	Bläserquintett d. Tschech. Philh.		
Zilcher, Hermann	(1881 - 1948) D		
	- Quintett, op.91		Müller
Zillig, Winfried	(1905 - 1963) D		
	- Lustspielsuite, 1934		Bärenreiter 1963
Zimmer, Ján	(1926) CS		
	- Bläserquintett, op.61, 1968		(Riemann)
Zipp, Friedrich	(1914) D		
	- Serenade		Möseler 1964
Zlatić, Slavko	(1910) YU		
	- Bläserquintett, 1950		(Paclt)
Zöller, Carl	(1840 - 1889)		
	- Quintet in F, op.132		Cubitt 1883
Zorzor, Stefan	(1932) R		
	- Bläserquintett, 1968		(Cosma)
Zouhar, Zdeněk	(1927) CS		
	- "151", Musik für Bläserquintett, 1958		(Prager Rundf.)
	- 3 Tänze, 1961		(ČHS II)
	- Miniaturen, op.39		ČHF

Zrno, Felix   (1890) CS
                     - "Unterwegs", Suite, 1930   (Gardavský)
                     - "Sommertag", Suite, 1944   (Gardavský)

Zuckert, León   (1904) CDN
                     - Little Prince in Montreal,
                       1968   25'   Ms: CMC

Zur, Menachem   IL
                     - Concertino, 1973   Rep: Israel
                                                    Woodwind Quintet

BLÄSERQUINTETTE IN KOMBINATION

WOODWIND QUINTETS IN COMBINATION

BLÄSERQUINTETT UND KLAVIER
WOODWIND QUINTET WITH PIANO

Alary, Georges	(1850 - 1929)		
	- Sextuor		Durdilly
Andriessen, Jurriaan	(1925) NL		
	- L'incontro di Cesare e Cleopatra, 1956	20'	Donemus 1965
Andriessen, Louis	(1939) NL		
	- Konzertante Musik	20'	Donemus
Arrieu, Claude	(1903) F		
	- Concerto, 1962		Costallat
Badings, Henk	(1907) NL		
	- Sextett, 1952	16'	Donemus 1965
Barbier, René	(1890) B		
	- Introduction, Andante et Final, op. 46, 1935	12'30"	CBDM 1969
Bartovský, Josef	(1884 - 1964) CS		
	- Sextett, op. 32, 1927		(Gardavský)
Baum, Alfred	CH		
	- Tanzsuite	17'	Ms: SMA
Benjamin, Arthur L.	(1893 - 1960) AUS		
	- Jamaican Rumba		Boosey & Hawkes
Blumer, Theodor	(881 - 1964) D		
	- Sextett, op. 45, F-Dur		Simrock 1922
	- Sextett (Kammersymphonie), op. 92	31'	Ries & Erler
Boisdeffre, Charles-Henri-René de	(1838 - 1906) F		
	- Sextuor, op. 49		Hamelle 1894
Brauer, Max	(1855 - 1918) D		
	- Sextett, C-Dur		Breitkopf *
	- Sextett, g-Moll		Breitkopf 1920
Brescia, Domenico			
	- Suite, 1928		Ms: Library of Congress
Bretón y Hernandez, Tomas	(1850 - 1923) E		
	- Sextett in c, 1900		UME
Bright, Houston	(1916) USA		
	- Woodwind Quintet and Piano		Shawnee
Brugk, Hans Melchior	(1909) D		
	- Klavier-Sextett, op. 38, F-Dur, 1973	19'	Ms (Brüchle)
Bruneau, Ernest			
	- Sextuor		Schneider 1904

```
Bullerian, Hans         (1885 - 1948) D
                        - Sextett, Ges-Dur, op. 38      Simrock 1924

Butterley, Nigel        (1935) AUS
                        - Variations, 1967
                          ( + Tonband / tape)           (Riemann)
Casadesus, Robert       (1899 - 1972) F
                        - Sextuor, op. 58               Durand 1961
Cohn, James
                        - Sextet                        (Library of
                                                        Congress)
Colomer, B. M.
                        - Caprice moldave               (Peters; Vester)
Cords, Gustav
                        - Sextet                        Andraud *
Coulthard, Jean         (1908) CDN
                        - Divertimento, 1968            Ms: CMC
Cruft, Adrian           (1921) England
                        - Dance Movement, Ballabile     Elkan 1964
Custer, Arthur R.       (1923) USA
                        - Sextet, 1961                  Ms: SGAE 1972
                          o: Ser. 12028
                             Quintet U. of Connecticut, Moore

David, Johann Nepomuk (1895) A
                        - Divertimento, op. 24, 1939
                          (Bohle)                       Breitkopf 1940
Dekker, Dirk            NL
                        - Zéro Dynamique, 1972    10'   Donemus 1975
Desportes, Yvonne       (1907) F
                        - Prélude et Pastorale          Andraud 1938
Diemer, Emma Lou        (1927) USA
                        - Sextet                        Seesaw 1977
Dionisi, Renato         (1910) I
                        - Divertimento                  Zanibon 1975
Donovan, Richard Frank (1891) USA
                        - Sextet, 1932                  (Schäffer)
Dresden, Sem            (1881 - 1957) NL
                        - Kleine Suite, C-Dur, 1913 14' Donemus 1965
                        - Suite d'après Rameau, 1916 12' Donemus 1965
                        - III. Suite, 1920         14'  Donemus 1965
Dukelsky, Vladimir      (1903 - 1969) USA
                        - Nocturne                      Fischer 1947
Durme, Jef van          (1907 - 1965) B
                        - Sextett, op. 5, 1930     15'  CBDM 1969
```

```
Farrenc, Louise        (1804 - 1875) F
                       - Sextuor, op. 40                    (Vester)

Fišer, Luboš           (1935) CS
                       - Sextett, 1956                      (ČHS I)

Flament, Édouard       (1880 - 1958) F
                       - Poème Nocturne, op. 7              Evette

Flosman, Oldřich       (1925) CS
                       - Sonate, 1970              18'      ČHF
                         o: Supraphon 1 11 1426
                         Prager Bläserquintett, Josef Hála

Françaix, Jean René    (1912) F
                       - L'heure du Berger
                         (arr. 1970)                        Schott

Frensel-Wegener, Emmy (1901) NL
                       - Sextett, 1927            13'       Donemus 1964

Frid, Géza             (1904) NL
                       - Sextett, op. 70, 1965              Donemus 1969

Fuhrmeister, Fritz
                       - Gavotte und Tarantelle, op. 6     Zimmermann

Genin, T.
                       - Sextuor, Es-Dur, 1906             Eschig

Godron, Hugo           (1900) NL
                       - Serenade, 1947           15'       Donemus 1964

Görner, Hans Georg     (1908) D
                       - Kammerkonzert, op. 29             Peters 1966

Greenberg, Lionel      (1926) CDN
                       - Sextet, 1963                      Ms: CMC

Guide, Richard de      (1909 - 1962) B
                       - Speciosa miracula, op. 19,
                         1948                     18'       CBDM 1969

Gwilt, David           (1932) England
                       - Andante Piangevole, 1968  6'      (Brüchle)

Harris, Roy            (1898) USA
                       - Fantasy Sextet, 1932     10'       SPAM 1938

Hemel, Oscar van       (1892) NL
                       - Sextett, 1962                     Donemus 1966

Hill, Edward Burlingame (1872 - 1960) USA
                       - Sextet, op. 39, 1934              Kalmus 1967

Holbrooke, Joseph      (1878 - 1958) England
                       - Sextet in a, op. 30               Chester 1922

Huber, Hans            (1852 - 1921) CH
                       - Sextett, B-Dur, 1900     32'       Hug 1924

Huber, Rudolf
                       - Sextett, 1927                     Ms: JAMU
```

Huffer, Fred K.
                        - Sailor's Hornpipe   Witmark
Husa, Karel   (1921) CS / USA
                        - Serenade   Leduc 1964
Hüttel, Josef   (1893 - 1951) CS
                        - Divertissement grotesque, 1929 (ČHS I)
d'Indy, Vincent   (1851 - 1931) F
                        - Sarabande et Menuet, op. 72,   Hamelle 1918;
                          1918   IMC
Jacob, Gordon   (1895) England
                        - Sextet, 1956   Musica Rara 1962
Jentsch, Walter   (1900) D
                        - Kleine Kammermusik, op. 5 12' Ries 1935
Jongen, Joseph   (1873 - 1953) B
                        - Rhapsodie, op. 70, 1922   20' CBDM 1962
Juon, Paul   (1872 - 1940) CH
                        - Divertimento, op. 51, F-Dur   Schlesinger 1913;
                                                         Lienau
Kahowez, Günther   (1940) A
                        - Structures pour six instru-
                          ments, 1965   Doblinger 1966
Keith, George D.
                        - Journey of the Swagmen   Remick
Koetsier, Jan   (1911) NL
                        - Introduction et folâtrerie
                          avec un thème, 1961   Donemus 1961
Kohn, Karl   (1926) USA
                        - Serenade, 1962   (Riemann)
Koppel, Herman David   (1908) DK
                        - Sextett, op. 36, 1942   Skandinav. 1947
Kox, Hans   (1930) NL
                        - Sextett, Nr. 3, 1959   Donemus
                        - Sextett, Nr. 4, 1961   Donemus 1961
Krejčí, Miroslav   (1891 - 1964) CS
                        - Suite, op. 38, 1934   (Kratochvíl)
Kreutzer, Conradin   (1780 - 1849) D
                        - Sextuor   (Gregory)
Lacroix, Eugène   (1896 - 1914) F
                        - Sextet   Ms: Curtis Inst.
Ladmirault, Paul Emile (1877 - 1944) F
                        - Choral et variations, 1935   Lemoine 1952
Lakner, Yehoshua   (1924) IL
                        - Sextet, 1951   7'   IMI 1962/76
La Violette, Wesley (1894) USA
                        - Sextet, 1940   (Schäffer)

```
Legley, Victor          (1915) B
                        - Sextett, op. 19           16'   CBDM 1954
Major, Jakab Gyula      (1858 - 1925) H
                        - Sextet, op. 39                  (Vester)
Margola, Franco         (1908) I
                        - Sonatina a Sei                  Bongiovanni 1965
Marvel, Robert
                        - Sextet                          Ms: State U. of N.Y.
Massimo, Leone          (1896) I
                        - Appunti e contrappunti, 1969   (Riemann)
Mendelssohn-Bartholdy, Felix (1809 - 1847) D
                        - Scherzo, op. 110 (arr. Jospe)   Fischer
                        - Intermezzo (arr. Jospe)         Fischer
                        - Scherzo, op. 118 (arr.)         Andraud *
Meulemans, Arthur       (1884 - 1966) B
                        - Aubade, 1934              6'    CBDM 1961
Mignone, Francisco      (1897) BR
                        - Sextet, 1935                    ENM 1937
Miller, Ralph Dale
                        - Three American Dances, op. 25   Fischer 1949
Mozart, Wolfgang Amadeus (1756 - 1791) A
                        - Fantasie, KV 608 (arr. Pijper)  Donemus 1948
Mulder, Ernest Willem (1898 - 1959) NL
                        - Sextett, 1946            40'    Donemus 1965
Myers, Robert
                        - Sextet                          Seesaw 1966
Nordgren, Erik
                        - Serenade, op. 64, 1965   18'    STIM 1976
Nowka, Dieter W. F.     (1924) D
                        - Divertimento, 1964              (Riemann)
Onslow, George          (1784 - 1852) F
                        - Sextett, op. 79                 Kistner *
                        o: Oiseau 50049
                          French Wind Quintet, D'Arco
Osieck, Hans            (1910) NL
                        - Divertimento, 1950        8'    Donemus 1962
Owen, Reed H.
                        - Symphonic Dance                 Mills 1963
Palkovský, Oldřich      (1907) CS
                        - 3 Stücke, 1965           13'    ČHF
Pijper, Willem          (1894 - 1947) NL
                        - Sextett, 1923            15'    Donemus 1948
Pillin, Boris           (1940) USA
                        - Serenade                        Pillin
```

184

```
Poulenc, Francis      (1899 - 1963) F
                    - Sextet, 1932/39          Hansen 1945
                      o: RCA LSC-6189
                      Boston Symph. Chamber Players
                      o: Col. ML-5613 / MS-6213
                      Philadelphia Woodwind Ens., Poulenc
                      o: Con.-Disc 1221 / 221/Ev.3081
                      New York Woodwind Quintet, Glazer
                      o: Angel D 35133 / or T 35133
                      Radiodiffusion Française Wind
                      Quintet, Françaix
                      o: CSP AMS-6213
                      Philadelphia Woodwind Quintet,
                      Poulenc
                      o: Ang. S-36261
                      Quintet: ?, Février
                      o: Turn. 34507
                      Quintet: ?, J. Casadesus

Pouwels, Jan          (1898) NL
                    - Sextett, 1958            Donemus 1965

Quef, Charles         (1873 - 1931) F
                    - Suite, op. 4            Noël 1902

Rääts, Jan            (1932) Estland / Estonia
                    - Sextett                 Rep: Estonia-
                                              Bläserquintett

Reed, Herbert Owen    (1910) USA
                    - Sinfonischer Tanz       Mills 1963

Reiner, Karel         (1910) CS
                    - 12 Miniaturen, 1931/63  Panton 1968

Reuchsel, Amadée      (1875 - 1931) F
                    - Sextuor                 Lemoine 1909

Reutter, Hermann      (1900) D
                    - Quodlibet für Bläserquintett  Rep: Bläser-
                      und Klavier                   quintett d. SWF

Reynolds, Verne       (1926) USA
                    - Concertare III, 1969    (Riemann)

Rheinberger, Joseph   (1839 - 1901) FL
                    - Sextett G-Dur, op. 191 b  Leuckart 1900

Riegger, Wallingford  (1885 - 1961) USA
                    - Concerto, op. 53, 1953  AMP 1956
                      o: CRI 130
                      New Art Quintet, Wingreen
                      o: Con.-Disc 1221 / 221
                      New York Woodwind Quintet, Glazer

Rietz, Julius         (1812 - 1877) D
                    - Konzertstück, op. 41, 1870  Breitkopf 1876

Riisager, Knudage     (1897) DK
                    - Concertino, op. 28 a    Nordiska
```

```
Roldán, Amadeo         (1900 - 1939) C
                     - Ritmica No. 1            3'30"   Southern 1959
                       o: Angel D-35105 / or T-35105
                       Radiodifussion Française Solistes, Roget

Roos, Robert de        (1907) NL
                     - Sextuor, 1935                     Donemus 1965

Roussel, Albert        (1869 - 1937) F
                     - Divertissement, op. 6, 1906      Rouart-Lerolle *;
                       o: Orion 7263                     Salabert 1964
                       Los Angeles Wind Quintet, ?
                       o: Supraphon 141 0119 G
                       Reicha-Bläserquintett, G. Radhuber

Sauguet, Henri         (1901) F
                     - Bocages                           (Vester)

Schadewitz, Carl       (1887 - 1945) D
                     - Sextett, 1924                     (Vester)

Schenker, Friedrich    (1942) D
                     - Sextett                           Peters, Leipzig
                                                         1970
Schröder, Hermann      (1904) D
                     - Sextett, op. 36, 1957             Schott 1959

Seitz, Albert
                     - 2 Sextette                        Andraud *

Shanks, Ellsworth
                     - Nightmusic for Six                Gamble 1936

Sixta, Jozef           (1940) CS
                     - Sextett, 1961                     (Riemann)

Smit, Leo              (1900 - 1945) NL
                     - Sextuor, 1933              12'    Donemus 1965

Staempfli, Edward      (1908) CH
                     - Mosaik II, 1973
                       (+ Percussion)                    (Riemann)

Strategier, Herman     (1912) NL ,
                     - Sextett, 1951                     Donemus 1966

Striegler, Kurt        (1886 - 1958) D
                     - Sextett Es-Dur, op. 58            Ms: S.L.B.

Subotnik, Morton       (1933) USA
                     - Play! No. 1, 1962
                       (+ Tonband/tape)                  (Riemann)

Sugár, Rezsö           (1919) H
                     - Frammenti Musicali, 1958          EMB 1963

Tansman, Alexander     (1897) PL
                     - La Danse de la Sorcière, 1924    Eschig 1924

Tausinger, Jan         (1921) CS
                     - Sextett, 1977                     Rep: Bläserquin-
                                                         tett d. National-
                                                         theaters Prag
```

```
Tello, Rafael J.     (1872 - 1961) MEX
                     - Sextett                  (Riemann)
Thuille, Ludwig      (1861 - 1907) A
                     - Sextett B-Dur, op. 6, 1887      Breitkopf 1899/
                       o: Orion 7263          28'15"   1955; IMC; Fischer
                       Los Angeles Wind Quintet, Stevens
Tosatti, Vieri       (1920) I
                     - Concerto, 1945          (Schäffer; Riemann)
Tournemire, Charles  (1870 - 1939) F
                     - Sextuor                 (Schäffer)
Trexler, Georg       (1903) D
                     - Sextett, 1959           (Vester; Riemann)
Trimble, Lester      (1923) USA
                     - Sextet, 1952            (Riemann)
Tschaikowsky, Peter Iljitsch (1840 - 1893) Russland / Russia
                     - Scherzo (Symph. No. 1)
                       (arr. Grizno)           Muzyka
Tuthill, Burnet Corwin (1888) USA
                     - Variations, op. 9, 1934      Galaxy 1934
Ultan, Lloyd
                     - Two Movements           Pan Pipes 1970
                     - Sextet                  Seesaw 1966
Velden, Renier van der (1910) B
                     - Sextett, 1948           12'  Metropolis
Wagner, Richard      (1813 - 1883) D
                     - An Album Leaf (arr. Boyd)      Fischer
Weiss, Adolph        (1891) USA
                     - Sextet, 1947            ACA
Wessel, Mark         (1894) USA
                     - Sextet, 1928            19'  (Schäffer)
Whettam, Graham Dudley (1927) England
                     - Fantasy Sextet, 1970         de Wolfe
Winkler, Karl        (1899) A
                     - Konzertantes Sextett, F-Dur,
                       op. 15, 1923            26'  Ms (Brüchle)
Willner, Arthur      (1881 - 1959) D
                     - Sextett                 Andraud *
Winnubst, J.         (1885 - 1934)
                     - Kleine Serenade, 1924        Donemus 1954
Zagwijn, Henri       (1878 - 1954) NL
                     - Suite, 1912             20'  Donemus 1965
                     - Scherzo, 1946           7'   Donemus 1965
Zechlin, Ruth        (1926) D
                     - Stationen, 1974              (Riemann)
```

BLÄSERQUINTETT UND ZWEI KLAVIERE
WOODWIND QUINTET WITH TWO PIANOS

Williamson, Malcolm (1931) AUS
- Concerto, 1965   (Paclt)

BLÄSERQUINTETT UND CEMBALO
WOODWIND QUINTET WITH HARPSICHORD

Grabócz, Miklós	H - Alte ungarische Tänze des 18. Jahrhunderts	Bärenreiter
Křivinka, Gustav	(1928) CS - Suite "Ein kleines Kaffeehaus", op. 30, 1959	(ČHS I)
McClelian, Randall	 - Parameters for Wind Quintet and Amplified Harpsichord	Seesaw 1966
Medek, Tilo	(1940) D - Divertissement, 1967	(Riemann)
Quaranta, Felice	(1910) I - El lagarto viejo, 1968 (+ Sopran/soprano)	(Riemann)

BLÄSERQUINTETT UND HARFE
WOODWIND QUINTET WITH HARP

Addison, John	(1920) England - Serenade, 1957		OUP 1958
Chou, Wen-Chung	(1923) USA - Suite, 1951		Peters 1962
Davies, Peter Maxwell	(1934) England - In Nomine 5, 1965		Boosey & Hawkes
Delvaux, Albert	(1913) B - Sextett, 1940	10'	CBDM 1969
Hadamowsky, Hans	(1906) A - Sextett		(ORF)
Hlouschek, Theodor	(1923) D - Concerto giocoso		Peters, Leipzig 1970
Kósa, György	(1897) H - Quintet for Harp and Wind Instruments, 1938		(Contemporary Hungar. Comp.)
Maayani, Ami	 - 2 Madrigals		Rep: Israel Wind Quintet

```
Monkendan
                  - Suite in C                   Donemus
Moulaert, Raymond (1875 - 1962) B
                  - Sextett, 1925           23'  CBDM 1968
                  - Concert, 1950           20'  CBDM 1962
Paciorkiewicz, Tadeusz (1916) PL
                  - Music, 1963             14'  PWM 1970
Patachich, Iván   (1922) H
                  - Sextett, 1957                (Contemp. Hungar.)
Paul, Ernst       (1907) A
                  - Sextett E-Dur, op. 170, 1973  Ms (Brüchle)
Van Buskirk, Carl
                  - Esoteric Suite, 1950        Ms: U. of Indiana
```

BLÄSERQUINTETT UND GITARRE
WOODWIND QUINTET WITH GUITAR

```
Stover, Franklin
                  - Four Arcana for Wind Quintet
                    and Guitar              Seesaw 1966
```

BLÄSERQUINTETT UND FLÖTE
WOODWIND QUINTET WITH FLUTE

```
Huybrechts, Albert (1899 - 1938) B
                  - Sextett, 1927          11'  CBDM
```

BLÄSERQUINTETT UND ENGLISCH HORN
WOODWIND QUINTET WITH ENGLISH HORN

```
Malherbe, Edmond  (1870)
                  - Sextet, op. 31              Ms: Curtis Inst.
```

BLÄSERQUINTETT UND KLARINETTE
WOODWIND QUINTET WITH CLARINET

```
Cosacchi, Stephan (1903) D
                  - Bläsersextett, op. 35 b    Ms (Brüchle)
Carmichael, Hoagy (1899) USA
                  - Stardust (arr. Klickmann)  Mills
```

Davies, Peter Maxwell (1934) England
    - Alma Redemptoris Mater, 1957   Schott 1966

Devasini, G.
    - Sextett   Ricordi 1843

Froschauer, Helmuth (1933) A
    - Sextett   Doblinger 1962

Gan, N. K.
    - Kinderbilder-Suite   Muzyka 1955

Jensen, Niels Peter
    - Bridal Song (arr. Klickmann) Standard

Jettel, Rudolf   (1903) A
    - Sextett   Rubato 1949

Kabeláč, Miloslav   (1908) CS
    - Sextett, op. 8, 1940   17' SNKLHU 1956; ČHF

Kleinsinger, George (1914) USA
    - Design for Woodwinds, 1946 AMP 1946

Labate, Bruno
    - Intermezzo and Scherzino in A (Peters)

Lefèvre, Charles Edouard (1843 - 1917) F
    - Intermezzo scherzando, op. 80 Noël
    - II. Suite, op. 122   Andraud *

Menter
    - Serenade   Andraud *

Mouguet, Jules   (1867 - 1946) F
    - Suite   Lemoine

Phillips, Ivan C.
    - Three Easy Arrangements   OUP 1962

Scherrer, Heinrich (1865 - ?)
    - Altfranzösische Tänze, op. 11 Schmidt 1899

Schuchlenz, Franz (1902) A
    - Sextett   (ORF)

Sprongl, Norbert   (1892) A
    - Suite a-Moll, op. 53, 1944 26' Ms (Brüchle)

Tartini, Giuseppe (1692 - 1770) I
    - Largo from Sonata g minor (arr.) Witmark

BLÄSERQUINTETT UND BASSKLARINETTE
WOODWIND QUINTET WITH BASS CLARINET

Amy, Gilbert   (1936)
    - Alpha-Beth, 2 vols.   Heugel

Janáček, Leoš   (1854 - 1928) Mähren / Moravia
    - Mládí (Jugend / Youth), 1924 HM 1925;
      o: MPS 2521 809-0   SNKLHU 1947/58
      Danzi Quintett

```
                    o: MPS 2020 762-5
                       Bläserquintett des SWF
                    o: Desto 6428
                       Caramoor Festival Orch., Rudel
                    o: Supraphon DM 5302
                       Hertl, Smetáček, Říha, Schwarz,
                       Bidlo, Rybín
                    o: Panton 110 214
                       Foerster Bläserquintett, J. Horák

Kohout, Josef       (1895 - 1958) CS
                    - Furiant                          (ČHS I)

Karren, L.
                    - Three Humoristic Scenes          Andraud *

Kurzbach, Paul      (1902) D
                    - Bläsersextett                    IMB

Marckhl, Erich      (1902) A
                    - Sextett                          (ORF)

Nordenstrom, Gladys (1924)
                    - Palm Springs Sextet              Bärenreiter 1974

Rebner, Wolfgang    (1910) D / USA
                    - Sextett                    15'   Modern 1962

Svensson, Sven E.   (1899 - 1960) S
                    - Sextet                           Ms: FST

Thompson, Virgil
                    - Barcarole, 1940                  Mercury 1948
```

B L Ä S E R Q U I N T E T T   U N D   S A X O P H O N
W O O D W I N D   Q U I N T E T   W I T H   S A X O P H O N E

```
Angelini, Louis        (1935)
                       - Woodwind Sextet               Contemp. Music

Childs, Barney         (1926) USA
                       - Interbalances V               ACA

Dubois, Pierre Max     (1930) F
                       - Sinfonia da camera            Leduc 1965

Grabner, Hermann       (1886 - ?)
                       - Wilhelm-Busch-Suite, op.33,
                         1932                          Kistner 1932

Hagerup Bull, Edvard (1922) N
                       - Sextuor, 1965            12'  Artisan

Hartley, Walter L.   USA
                       - Chamber Music                 Fema

Heiden, Bernard        (1910) USA
                       - Intrada                       Southern
```

Stein, Leon   (1910)
                     - Sextet   Camara

Tomasi, Henri   (1901 - 1971) F
                     - Printemps   Leduc 1967

BLÄSERQUINTETT UND FAGOTT
WOODWIND QUINTET WITH BASSOON

Penberthy, James   (1917) AUS
                     - Sextet "Aboriginal"   Australian

BLÄSERQUINTETT UND HORN
WOODWIND QUINTET WITH HORN

Allers, Hans-Günther (1935) D
                     - Suite für sechs Bläser   Möseler 1964

Altmann, Eddo   D
                     - Kleine Tanzsuite   Hofmeister,
                                                   Leipzig

Fauré, Gabriel   (1845 - 1924) F
                     - Nocturne No. 1 (arr. Grovlez)   Hamelle

Reidinger, Friedrich (1890) A
                     - Divertimento, op. 23, 1943   Ms (Brüchle)

Reinecke, Carl Heinrich (1824 - 1910) D
                     - Sextett Es-Dur, op. 271   Zimmermann 1904

Stutschewsky, Joachim (1891) IL
                     - Sextet, 1959   (Vester; Gregory)

Winkler, Karl   (1899) A
                     - Jahreszeitensextett, h-Moll,
                     1948   30'   Ms (Brüchle)

BLÄSERQUINTETT UND TROMPETE
WOODWIND QUINTET WITH TRUMPET

Achron, Joseph   (1886 - 1943) SU / USA
                     - Sextet, op. 73, 1938   New Music 1942

Alter, Martha   (1904)
                     - Sextet, 1933   (Reis)

Ammann, Benno   (1904) CH
                     - Musik für 6 Blasinstrumente,
                     1938   20'   Ms: SMA

Bereau, Jean-Sébastien (1934) F
                     - Sextuor   Choudens

192

```
Bossi, Renzo              (1883 - 1965) I
                          - Tema variata, op. 10, 1939    Böhm 1939

Braun, Peter Michael      (1936) D
                          - Sextett, 1967                 (Riemann)

Read, Gardner             (1913) USA
                          - Nine by Six, 1951             Ms: Boston U.

Schwertsik, Kurt          (1935) A
                          - Proviant für Bläsersextett    Doblinger 1966

Serebrier, José           (1938)
                          - Erotica                  5'   Peer 1972

Sprongl, Norbert          (1892) A
                          - Variationen über ein Thema von
                            J. S. Bach, c-Moll, op. 68,
                            1946                     15'  Ms (Brüchle)

Sutermeister, Heinrich (1910) CH
                          - Serenade Nr. 2, 1961     14'  Schott 1963

Zelinka, Jan Evangelista (1893) CS
                          - "Die Luft kostenlos", op. 75,
                            1933                          (Kratochvíl)
```

BLÄSERQUINTETT   UND   POSAUNE

WOODWIND   QUINTET   WITH   TROMBONE

```
Crosse, Gordon            (1937) England
                          - Canto, op. 4, 1961/63    5'   OUP
```

BLÄSERQUINTETT   UND   TUBA

WOODWIND   QUINTET   WITH   TUBA

```
Schmidt, William          (1926) USA
                          - Concertino for Tuba solo      Pillin

Wilder, Alec              (1907) USA
                          - Effie joins a Carnival        Camara 1966
```

BLÄSERQUINTETT UND VIOLINE
WOODWIND QUINTET WITH VIOLIN

Etler, Alvin Derald	(1913) USA		
	– Concerto		AMP
Farkas, Ferenc	(1905) H		
	– Rondo capriccio, 1957		Mills
Kanitz, Ernest			
	– Sextet, 1932		Ms: U. of S.CA
Praag, Henri C. van	(1894 – 1968) NL		
	– Divertimento, 1938		Donemus 1965
	– Quatre réflexions, 1950	10'	Donemus 1965
Quinet, Marcel	(1915) B		
	– Ballade, 1962	9'	CBDM 1964
Suchý, František	(1902 – 1977) CS		
	– Concertino, op. 13, 1931		(Gardavský)
Zrno, Felix	(1890) CS		
	– Suite, 1956		(Gardavský)

BLÄSERQUINTETT UND VIOLA
WOODWIND QUINTET WITH VIOLA

Polívka, Vladimír	(1896 – 1948) CS	
	– Suite, 1933	(Schäffer)
Vacek, Karel Václav	(1908) CS	
	– Bagatelle	(Gardavský)

BLÄSERQUINTETT UND VIOLONCELLO
WOODWIND QUINTET WITH VIOLONCELLO

Hartley, Walter	USA		
	– Divertimento (Vc solo)		Fema
Sadler, Helmut	(1921) D		
	– Concerto da camera, 1967		
	(Vc solo)	10'10"	Ms (Brüchle)

BLÄSERQUINTETT UND KONTRABASS
WOODWIND QUINTET WITH DOUBLE BASS

Farkas, Ferenc	(1905) H	
	– Quattro pezzi	Rep: Bamberger Bläserquintett

Hartley, Walter   USA
                       - Sextet   Elkins

Laderman, Ezra   (1924) USA
                       - Sextet in One Movement   ACA

Müller, Ludwig R.   (1879 - ?)
                       - Tänzerische Impressionen   Breitkopf *

Pololáník, Zdeněk   (1935) CS
                       - Musica spingenta, 1961   ČHF
                       o: Supraphon SV 8315 F
                         Foerster Bläserquintett,
                         J. Bortlíček

Shapey, Ralph   (1921) USA
                       - De Profundis   ACA

Vrána, František   (1914) CS
                       - Fables, 1962   (Gardavský)

⌣

B L Ä S E R Q U I N T E T T   U N D   S C H L A G Z E U G

W O O D W I N D   Q U I N T E T   W I T H   P E R C U S S I O N

Glodeanu, Liviu   (1938) R
                       - Inventiuni, op. 14, 1963   UCRPR 1964

Johanson, Sven-Eric   (1919) S
                       - Bronsalerssvit, 1954   STIM 1976

Křenek, Ernst   (1900) A / USA
                       - Alpbachquintett, op. 180, 1962 UE

Lukáš, Zdeněk   (1928) CS
                       - Bläserquintett mit Triangel   ČHF

Muñoz, Edmundo Vasquez   RCH
                       - Ayacara, 1971   Ms, Rep: Academia

Řezníček, Petr   (1938) CS
                       - Suite   Ms: JAMU

Sculthorpe, Peter Yoshua (1929) AUS
                       - "Tabuh Tabuhan", 1968   24' Faber

Serebrier, José   (1938) H
                       - Seis por television   10' Peer 1976

Staempfli, Edward   (1908) CH
                       - Mosaik II, 1973 (+ Piano)   (Riemann)

Zaninelli, Luigi   (1932) USA
                       - Musica Drammatica   Shawnee 1968

BLÄSERQUINTETT UND DIDJERIDU
Holztrompete der australischen Ureinwohner

WOODWIND QUINTET WITH DIDJERIDU
Wooden trumpet of the Australian aborigines

Dreyfus, George	(1928) AUS	
	- Sextet for Didjeridu and Wind Instruments	Rep: Adelaide Woodwind Quintet
	o: HMV: OASD 7565 Adelaide Woodwind Quintet, G. Winunguj	

BLÄSERQUINTETT UND ELEKTRONISCHE INSTRUMENTE
WOODWIND QUINTET WITH ELECTRONIC INSTRUMENTS

Bahk, Junsang			
	- Echo, 1970		Rep: Bläserquintett des SWF
Bottje, Will G.	(1925) USA		
	- Three Etudes for Woodwind Quintet and Tape, 1963	17'	(Peters)
Butterley, Nigel	(1935) AUS		
	- Variations, 1967 (+ Piano)		(Riemann)
Bruynèl, Ton	(1934) NL		
	- Mécanique, 1967		Donemus 1975
	- Signs		Donemus 1975
Druckman, Jacob			
	- "Delizie Contente Che L'Alme Beate", after Francesco Cavalli, 1973		Ms, Rep: Dorian Quintet
Haller, H. P.			
	- Spektral (+ Becken / cymbal)		Rep: Bläserquintett des SWF
Leeuw, Ton de	(1926) NL		
	- Antiphonie, 1960	15'	Donemus 1960
Růžíčka, Rudolf	(1941) CS		
	- Timbres, 1968		(Riemann)
Souster, Tim	(1943) England		
	- Titus Groan Music, 1969		(Riemann)
Sønstevold, Knut	N		
	- Selected, 1975		STIM 1976
Subotnik, Morton	(1933) AUS		
	- Play! No. 1, 1962 (+ Piano)		(Riemann)
Trythall, Richard	(1939) USA		
	- Variations on a Theme by J. Haydn, 1976	17'	Roger
	o: Comp. CRI 382, Dorian Woodwind Quintet		

Veyvoda, Gerald Joseph (1948) USA
- "Into the Artifice of Eternity",
1971   14'40" Seesaw 1966

⌒

BLÄSERQUINTETT UND SINGSTIMME
WOODWIND QUINTET WITH VOICE

Franco, Johan	(1908) NL / USA	
	- Songs of the Spirit	ACA
Geissler, Fritz	(1921) D	
	- 5 Lieder für eine hohe Sing-stimme und Bläserquintett, 1968	DVfM
Ibert, Jacques	(1890 - 1962) F	
	- Chanson du rien	(Riemann)
Moulaert, Raymond	(1875 - 1962) B	
	- Petite Flore, 1937	CBDM
	o: Decca 143.357 Quintette à vent de Bruxelles, J. Deroubaix	
Reif, Paul		
	- Kaleidoscope	Seesaw 1966

BLÄSERQUINTETT UND SOPRAN
WOODWIND QUINTET WITH SOPRANO

Adler, Samuel	(1928) USA		
	- Songs with Winds		OUP
Apkalns, Longins			
	- Four Latvian Folk Songs		Rep: Phoenix
Bloch, Augustyn	(1929) PL		
	- Salmo gioioso, 1970	13'	PWM
Diepenbrock, Alphons	(1862 - 1921) NL		
	- Come raggio di sol		Donemus 1967
Henze, Hans Werner	(1926) D		
	- Sextett		(Vester)
Kiefer, Bruno	(1923) D / BR		
	- No cimo das copas, 1963		(Riemann)

Kohout, Josef	(1895 - 1958) CS	
	- Lieder über Volksweisen aus China, 1931	Rep: Bläserquintett aus Brno
Lapinskas, Darius		
	- Five Lithuanian Folk Songs	Rep: Phoenix
Novák, Jan	(1908) CS	
	- Vier Verse, op. 15, 1938	(Kratochvíl)
Quaranta, Felice	(1910) I	
	- El lagarto viejo, 1968 (+ Cembalo / harpsichord)	(Riemann)
Schouwman, Hans	(1902 - 1967) NL	
	- Drie gedichten van P. C. Boutens, op. 32, 1943	Donemus 1967
Simon, Hermann	(1896 - 1948) D	
	- Pan's Flucht (Text: O. J. Bierbaum)	Lienau
Suchý, František	(1902 - 1977) CS	
	- Böhmische und mährische Volkslieder, 1951	(ČHS II)

BLÄSERQUINTETT UND MEZZOSOPRAN
WOODWIND QUINTET WITH MEZZO - SOPRANO

Butterley, Nigel	(1935) AUS	
	- Carmina, 1968	(Riemann)
Lapinskas, Darius		
	- Dainos	Rep: Phoenix
Schafer, R. Murray	(1933) CDN	
	- Minnelieder 28'30"	Berandol
	o: RCI 218 Can. Coll.	
Veyvoda, Gerald Joseph (1948) USA		
	- Through the Looking Glass, 1972 (+ Tonband / tape) 21'40"	Seesaw 1972

BLÄSERQUINTETT UND ALTSTIMME
WOODWIND QUINTET WITH ALTO

Bourdeaux, Luc	(1929)	
	- Canciones	(Vester)
Herrig, Karl Friedrich (1889)		
	- Ländliche Suite, 1927	(Vester)

BLÄSERQUINTETT UND TENOR
WOODWIND QUINTET WITH TENOR

Jones, Wendal	(1932) USA - Songs for Wind Quintet and Tenor	Ms: E. Washington College
Keldorfer, Robert	(1901) A - Vier Gesänge nach Gedichten von Christine Lavant, 1973 8' Ms	
Sárai, Tibor	(1919) H - De profundis, 1968	(Contemp. Hungar.)

Trojan, Václav	(1907) CS
	- Volkslieder aus dem Gebiet
	  von Pilsen, 1942 20' ČHF
	  o: Supraphon	

BLÄSERQUINTETT UND BARITON
WOODWIND QUINTET WITH BARITONE

Dreyfus, George	(1928) AUS
	- Songs Comic and Curious, 1959 (Paclt)
	  o: HMV:OASD 7558
	       Adelaide Woodwind Quintet,
	       B. Hansford

Haas, Joseph	(1879 - 1960) D - Schelmenlieder Schott *
Höfer, Harry	(1921) D - 8 Gesänge nach Laotse, 1952 13' Döring
Sun, Muammer	TR - Serpinti ("Verstreute Skizzen"), Ankara 16 Stücke, 1966 Devlet Kons. 1974
Vrána, František	(1914) CS - Bajky ("Fabeln"), 1963 (Riemann)

BLÄSERQUINTETT UND CHOR
WOODWIND QUINTET WITH CHOIR

Barkauskas, V.	- La vostra nominanza e color d'erba	ČHF
Freedman, Harry	(1922) CDN - The Tokaido, 1963	(Paclt)
Kiefer, Bruno	(1923) D / BR - Cantata do encontro, 1967	(Riemann)
Lazarof, Henri	(1932) BG / USA - First Day, 1959	(Riemann)
Rackley, Lawrence	- Prologue and Ceremonial Dance Pan Pipes 1970	
Strawinsky, Igor F.	(1882 - 1971) Russland / Russia - Messe (Mass), 1944-48 (doppeltes Bläserquintett / double woodwind quintet)	(Riemann)

BLÄSERQUINTETT UND KINDERCHOR
WOODWIND QUINTET WITH CHILDREN'S CHOIR

Blatný, Pavel	(1931) CS - "Es fliegt der Frühling", 1960	20'	ČHF
Deidel, Jan	(1908) CS - Weihnachtslieder, 1951		(Kratochvíl)
Jirásek, Ivo	(1920) CS - Nursery Rhymes, 1962		ČHF 1972
Kaňák, Zdeněk	(1910) CS - Kindheit		(Prager Rundf.)

BLÄSERQUINTETT UND SPRECHSTIMME
WOODWIND QUINTET WITH DECLAMATION

Berio, Luciano	(1925) I - Opus Zoo, 1970	7'	UE 1975
Freedman, Harry	(1922) CDN - "Tikki tikki tembo", 1971		Ms: CMC
Reif, Paul	- Kaleidoscope		Seesaw
Tahourdin, Peter	(1928) AUS - The Space Traveller		(Brüchle)

BLÄSERQUINTETT UND ORCHESTER
WOODWIND QUINTET WITH ORCHESTRA

Absil, Jean	(1893 - 1974) B - Concerto grosso, op. 60, 1944	11'	CBDM 1969
Arrieu, Claude	(1903) F - Concert, 1962		Ricordi 1964
Bárta, Jan Zdeněk	(1908) CS - Concerto grosso		(SČSKU 1975)
Baur, Jürg	(1918) D - Pentagramm, 1966 rev. 1969/70		Breitkopf 1966
Blacher, Boris	(1903 - 1975) D - Konzertstück, 1963 o: Philips 839 279 DSY Bläserquintett d. SWF		Bote 1963
Blatný, Pavel	(1931) CS - Kleine Variationen		(Prager Rundf.)
Britten, Benjamin	(1913 - 1976) England - Sinfonietta, op. 1, 1932		Boosey 1935
Burghauser, Jarmil	(1921) CS - Konzert, 1942	15'	ČHF
Ceremuga, Josef	(1930) CS - Concerto da Camera, 1971		(Prager Rundf.)
Danzi, Franz	(1763 - 1826) D - Concertante Sinfonie (arr. Hofmann)	15'	Ms (Brüchle)
David, Johann Nepomuk	(1895) A - Divertimento nach alten Volksliedern, op. 24, 1939		Breitkopf 1940
David, Thomas Christian	(1925) A - Concerto, 1962		Doblinger 1964
Ducháň, Jan	(1927) CS - Concerto da Camera		(Brno Rundfunk)
Eben, Petr	(1929) CS - Konzert "Hommage à Antonín Rejcha", 1975		(SČSKU 1975)
Etler, Alvin Derald	(1913 - 1973) USA - Concerto, 1960		AMP
Fheodoroff, Nikolaus	A - Divertimento für Bläserquin- tett, Cembalo und Streicher		(ORF)
Flosman, Oldřich	(1925) CS - Konzertante Musik, 1964	20'	ČHF

```
                    o: Panton 110318
                    Prager Bläserquintett,
                    Miloš Konvalinka, Musici di Praga
Flothuis, Marius    (1914) NL
                    - Canti e Giuochi, op. 66, 1964  Donemus 1966
Geissler, Fritz     (1921) D
                    - Konzertante Sinfonie           DVfM
Ghedini, Georgio Frederico (1892 - 1965) I
                    - Concerto grosso in F, 1927 22'  Zerboni 1946
Görner, Hans-Georg  (1908) D
                    - Konzert, op. 38, 1961          (Riemann)
Hlouschek, Theodor  (1923) D
                    - Concerto giocoso               Peters,
                      (+ Harfe/harp)                 Leipzig 1970
Hofmann, Wolfgang   (1922) D
                    - Concerto für Bläserquintett
                      und 14 Streicher, 1972    15'  Ms
Hohensee, Wolfgang  (1927) D
                    - Konzertante Ouvertüre          Neue Musik
Hueber, Kurt Anton  (1928) A
                    - Serenata concertante           (ORF)
Husa, Karel         (1921) CS / USA
                    - Serenade No. 1          16'    Leduc 1964
                      o: Comp. Rec. S-261
                      Foerster Woodwind Quintet,
                      Husa, Orch. FOK
Katzer, Georg       (1935) D
                    - Konzert                        DVfM 1977
Klusák, Jan         (1934) CS
                    - Concerto grosso, 1957          ČHF
Konietzny, Heinrich (1910) D
                    - Symphonie Concertante, 1965    (Vester)
Kunert, Kurt        (1911) D
                    - Konzert                 17'    Breitkopf,
                                                     Leipzig 1975
Kurz, Siegfried     (1930) D
                    - Kammerkonzert, op. 31   18'    Breitkopf 1967
Lachman, Hans       NL
                    - Symphonie Concertante          Donemus 1971
Lacroix, Eugène     (1896 - 1914) F
                    - Premières Tendresses           Costallat *
Larsson, Lars-Erik  (1908) S
                    - Divertimento                   UE 1935
Legley, Victor      (1915) B
                    - Trois pièces, op. 57, 1960     CBDM 1976
```

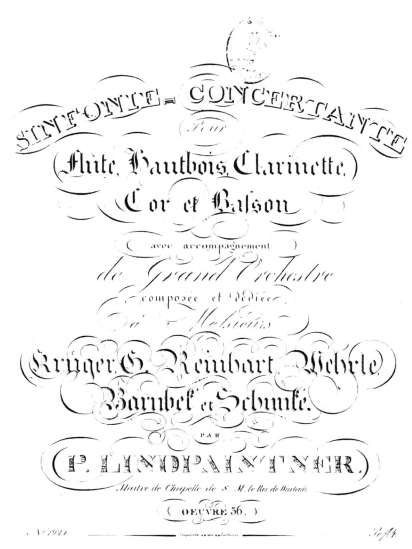

(Nikolaus Grüger, München)

```
Linde, Bo               (1933 - 1970) S
                        - Kleines Konzert, op. 35,
                          1965              17'   Ms: STIM

Lindpaintner, Peter Joseph von (1791 - 1856) D
                        - Sinfonia concertante, op. 36   Schott *
                        - II. Sinfonia concertante,
                          op. 44                          Schott *

Malipiero, Gian Francesco (1882 - 1973) I
                        - Concerto III                   Ricordi

Mendelsohn, Alfred      (1910 - 1966) R
                        - 7 Miniaturen, 1963             Ed. Muzicală

Mihály, András          (1917) H
                        - Fantasie, 1951                 EMB 1959

Milhaud, Darius         (1892 - 1974) F
                        - "Household Muse"               Elkan-Vogel

Müller-Medek, Willy     (1896 - 1965) D
                        - Fantasie                       Grosch *

Nagan, Zvi              (1912) IL
                        - Concertante                    IMI 1967

Nikiprowetzky, Tolia (1916) F
                        - Symphonie concertante, 1956    Elkan-Vogel

Nohr, Friedrich         (1800 - 1875)
                        - Potpourri, op. 3               Breitkopf *
                        - Concertante, op. 10            Falter *

Papandopulo, Boris      (1906) YU
                        - Concerto grosso, 1971          (Riemann)

Petrić, Ivo             (1931) YU
                        - Musique concertante      16'   DSS 1962

Pillney, Karl Hermann (1896) D
                        - Divertimento, 1966 (+ Piano)   (Riemann)

Quinet, Marcel          (1915) B
                        - Sinfonietta, 1953        13'   UE

Rieti, Vittorio         (1898) I / USA
                        - Concerto, 1923                 UE 1924

Rietz, Julius           (1812 - 1877) D
                        - Konzertstück, op. 41, 1870     Breitkopf*

Rosenthal, Manuel       (1904) F
                        - Aeolus, 1970                   (Riemann)

Rosseau, Norbert        (1907) B
                        - Concert à cinq, op. 74, 1960   CBDM 1969
                          o: Decca 143.397        29'
                          Quintette à vent de Belgique,
                          L. Gras, Orch. O.N.B.

Schibler, Armin         (1920) D
                        - Divertimento, op. 73, 1962     (Riemann)
```

```
Schuller, Gunther      (1925) USA
                       - Contrasts, 1961          15'   AMP
Sitsky, Larry          (1934) AUS
                       - Concerto, 1970                 (Riemann)
Sköld, Yngve           (1899) S
                       - Concertino, op. 63, 1963  20'  Ms: STIM
Swanson, Howard        (1909) USA
                       - Night Music               9'   Weintraub 1951
Werner, Vladimír       (1937) CS
                       - Symphoniette concertante 13'   ČHF
Wood, Ralph Walter     (1902) England
                       - Konzert, 1962                  (Paclt)
```

BLÄSERQUINTETT UND BLASORCHESTER

WOODWIND QUINTET WITH BAND

```
Bennett, Robert        (1894) USA
                       - Concerto grosso, 1958         Peters
Haddad, Don            (1935) USA
                       - Air and Adagio                Shawnee 1971
Long, N. H.
                       - Concertino                    McGinnis & Marx
```

BLÄSERQUINTETT UND JAZZ - BAND

WOODWIND QUINTET WITH JAZZ BAND

```
Riedel, Georg
                       - Dialoger, 1974           20'  STIM 1976
                       - Reflexionen, 1974         8'  STIM 1976
```

NAME

a: Gründungsjahr / Year of founding

b: Gründungsmitglieder / Charter members

c: Heutige Mitglieder / Present members

Reihenfolge: Order:

Flöte   Flute
Oboe   Oboe
Klarinette   Clarinet
Horn   Horn
Fagott   Bassoon

d: Adresse / Address

1. **ADELAIDE WIND QUINTET**

a: 1965

b: David Cubbin   c: Zdeněk Bruderhaus
   Jiři Tancibudek   Jiři Tancibudek
   Gabor Reeves   David Shephard
   Stanley Fry   Patric Brislan
   Thomas Wightman   Thomas Wightman

d: Patric Brislan, c/o The University of Adelaide, Dept. of Music, Adelaide, South Australia

2. **AULOS-BLÄSERQUINTETT STUTTGART**

a: 1973

b/c: Ulrich Mayer
     Wolfgang Renz
     Clemens Vetter
     Dietmar Ullrich
     Stephan Weidauer

d: Ulrich Mayer, Brunnenwiesenweg 27, D - 7081 Lichtenwald

3. **BAMBERGER BLÄSERQUINTETT**

a: 1962

b: Hermann Dechant   c: Klaus Schochow
   Georg Meerwein   Georg Meerwein
   Karl Dörr   Wolfgang Meyer
   Claus Klein   Wolfgang Gaag
   Milan Turkovič   Eberhard Marschall

d: Georg Meerwein, Postfach 3272, D - 8600 Bamberg

4. **BLÄSERQUINTETT DER DEUTSCHEN OPER BERLIN**

c: Hans Krug
   Gottwald Eckertz
   Ernst Kindermann
   Toni Hammer
   Veit Knappe

5. **BLÄSERQUINTETT JEUNESSES MUSICALES**

a: 1970

b: Imre Kovács, jr.   c: Imre Kovács, jr.
   Emilia Csánky   Emilia Csánky
   Gyula Karsay   Kálmán Berkes
   Tamás Zempléni   Tamás Zempléni
   György Hortobágyi   Györgyi Hortobágyi

d: Imre Kovács, Szemlöhegy u. 3, H - 1023 Budapest II

6. BLÄSERQUINTETT DER NÜRNBERGER SYMPHONIKER

a: 1960

b: Gerhard Wiesner   c: Gerhard Wiesner
   Reinhard Swora   Reinhard Swora
   Rüdiger Zieschank   Richard Pawlas
   Shozo Aida   Wilfried Krüger
   Thomas Meier   Thomas Meier

d: Gerhard Wiesner, Guntherstr. 66, D - 8500 Nürnberg

7. BLÄSERQUINTETT PENTAGON

a: 1975

b / c: Michael Ruppel
       Klaus König
       Joachim Olszewski
       Klaus Wallendorf
       Wolfgang Piesk

d: Wolfgang Piesk, Wieselweg 25, D - 8013 Haar

8. BLÄSERQUINTETT DER STAATSKAPELLE BERLIN

a: 1962

b / c: Manfred Friedrich
       Walter Weih
       Helmut Hofmann
       Siegfried Schergaut
       Hans-Dieter Seidel

d: Manfred Friedrich, Heidekampweg 48, DDR - 1195 Berlin

9. BLÄSERQUINTETT DES SÜDWESTFUNKS BADEN-BADEN

a: 1947

b: Otto Voigt   c: Michael Loeckle
   Fritz Strowitzki   Helmut Koch
   Sepp Fackler   Hans Lemser
   Karl Arnold   Karl Arnold
   Helmut Müller   Helmut Müller

d: Helmut Müller, Sinzheimstr. 40 a, D - 7570 Baden-Baden

10. BRATISLAVSKÉ DYCHOVÉ KVINTETO
    (Bläserquintett aus Bratislava)

a: 1967

b / c: Vojtech Samec
       Vladimír Mallý
       Josef Luptáčik
       Josef Illeš
       František Machats

d: František Machats, Vančurova 2, CS - 801 00 Bratislava

11. BRNĚNSKÉ DECHOVÉ KVINTETO (Brünner Bläserquintett)

a: 1951

b: Arnošt Bourek
   Sláva Kůs
   Alois Veselý
   A. Charvát
   Josef Hýl

c: Arnošt Bourek
   Sláva Kůs
   Alois Veselý
   František Psota
   Vavřinec Špaček

d: Brněnské dechové kvinteto, Komenského nám. 8, Brno, CS

12. ČESKÉ DECHOVÉ KVINTETO (Tschechisches Bläserquintett)

a: 1957

b: Jiří Trávníček
   Zdeněk Hebda
   František Zítek
   Milan Pospíšil
   František Štěňha

c: Josef Jelínek
   Zdeněk Hebda
   Adolf Nechvátal
   Vladimíra Bouchalová-Klánská
   Pavel Zedník

d: Zdeněk Hebda, Československý rozhlas, Vinohradská 12,
   CS - 120 00 Praha 2

13. CHOROS WOODWIND QUINTET

a: 1974

b/c: Leonard Lopatin
     Diane Lesser
     David Smeyers
     Tanice DeWolfe
     Kim Laskowski

d: Diane J. Lesser, 14 Esquire Road, Norwalk, Conn. 06851

14. CRUSELL QUINTET

a: 1935

b: Hanns Alvas
   Friedrich Wagner
   Cosimo Sgobba
   Holger Fransman
   Aarne Viljava

c: Juho Alvas
   Asser Sipilä
   Mario Sgobba
   Antero Kasper
   Tapio Lehtonen

d: The Crusell Quintet, Finlandia Hall, Karamzininkatu 4,
   SF - 00100 Helsinki 10

15. DANZI-QUINTETT

a: 1957 (bis/until 1978)

b: Frans Vester
   Leo Driehuys
   Pem Godri
   Marius Hoving
   Brian Pollard

c: Frans Vester
   Koen van Slogteren
   Piet Honingh
   Adriaan van Woudenberg
   Brian Pollard

16. DECHOVÉ KVINTETO ACADEMIA   (Academia-Bläserquintett)

a: 1971/76

b: Jiří Maršálek   c: Jiří Maršálek
   Jiří Hebda   Jan Adamus
   Petr Doněk   Petr Doněk
   Miroslav Kubíček   Miroslav Kubíček
   Josef Janda   Josef Janda

d: Josef Janda, Chodská 19, Praha 2, CS

17. DECHOVÉ KVINTETO ČESKÝCH FILHARMONIKŮ
    (Bläserquintett der Tschechischen Philharmonie)

a: 1943

b: Oldřich Slavíček   c: František Čech
   Josef Shejbal   Jiří Mihule
   Alois Rybín   Karel Dlouhý
   Vladimír Černý   Rudolf Beránek
   Karel Vacek   Jiří Formáček

d: František Čech, Bělohorská 68, Praha 6, CS

18. DECHOVÉ KVINTETO MORAVSKÉ FILHARMONIE, Olomouc
    (Bläserquintett der Mährischen Philharmonie, Olmütz)

a: 1956

b: Lubomír Kantor   c: Petr Krejčí
   Vítězslav Winkler   Miroslav Šafář
   František Osvald   Václav Krul
   Zdeněk Drmola   Jiří Šuba
   Jaroslav Kašpárek   František Červenka

d: Jiří Šuba, c/o Moravská filharmonie Olomouc, náměstí Míru, CS

19. DECHOVÉ KVINTETO NÁRODNÍHO DIVADLA V PRAZE
    (Bläserquintett des Nationaltheaters in Prag)

a: 1940

b: František Černý   c: Libor Mihule
   Josef Vacek, sen.   Josef Vacek, jr.
   Oldřich Pergl   Vladimír Hůlka
   Antonín Hladík   Zdeněk Uher
   Eduard Landa   Jindřich Svárovský

d: Josef Vacek, Sadová 18, CS - 161 00 Praha 6 - Ruzyně

20. DECHOVE KVINTETO '74   (Bläserquintett '74)

a: 1974

b: Štěpán Žilka   c: Jan Riedlbauch
   Jiří Váca   Svatopluk Jányš
   Jiří Vaniš   Petr Čáp
   Jiří Macek   Karel Šmejkal
   Vojtěch Secký   Vojtěch Secký

d: Vojtěch Secký, Erbenova 3, CS - 150 00 Praha 5 - Košíře

21. DYCHOVÉ KVINTETO PROFESOROV KONSERVATÓRIA V ŽILINE
    (Bläserquintett der Konservatoriumsprofessoren von Žilina)

a: 1963

b: J. Figura   c: J. Figura
   J. Vanek   M. Hrianková
   P. Bienik   P. Bienik
   M. Stuchlík   Š. Ladovský
   K. Krajčí   V. Šalaga

d: P. Bienik, Vlčince B/47, Žilina, CS

22. DORIAN WOODWIND QUINTET

a: 1961

b: Karl Kraber   c: Karl Kraber
   Charles Kuskin   Charles Kuskin
   Jerry Kirkbride   Jerry Kirkbride
   Joseph Anderer   Robin Graham
   Jane Taylor   Jane Taylor

d: Dorian Woodwind Quintet Foundation, Inc., 160 West 87th St.,
   New York, N.Y. 10024

23. EICHENDORFF-QUINTETT WIEN

a: 1960

b: Herbert Reznicek   c: Gustav Szöke
   Alfred Hertell   Alfred Dutka
   Franz Patak   Gottfried Mayer
   Robert Freund   Adolf Uhl
   Walter Hermann Sallagar   Rudolf Nekvasil

d: Rudolf Nekvasil, Paletzgasse 37, A - 1160 Wien

24. FILHARMONICKÉ DECHOVÉ KVINTETO BRNO
    (Philharmonisches Bläserquintett Brünn)

a: 1973

b: Julius Kessner   c: Julius Kessner
   Josef Bartoník   Josef Bartoník
   Lubomír Bartoň   Lubomír Bartoň
   Bohuš Zoubek   Bohuš Zoubek
   Zdeněk Škrabal   Ladislav Veleba

d: Julius Kessner, Sušilova 4, CS - 66451 Šlapanice

25. FOERSTROVO DECHOVÉ KVINTETO   (Foerster-Bläserquintett)

a: 1956

b: Radomír Pivoda   c: Radomír Pivoda
   Josef Žvachta   Vítězslav Winkler
   Bohumil Opat   Bohumil Opat
   Otto Kopecký   Zdeněk Divoký
   František Svoboda   František Svoboda

d: Bohumil Opat, Vyhlídka 33, CS - 63800 Brno

211

26. GEWANDHAUS-BLÄSERQUINTETT

a: 1896

b: Oskar Fischer
   Alfred Gleissberg
   Heinrich Bading
   Friedrich Adolf Gumpert
   Bruno Fünsch

c: Heinz Hörtzsch
   Peter Fischer
   Kurt Hiltawsky
   Waldemar Schieber
   Werner Seltmann

d: Gewandhaus-Bläserquintett, DDR - 701 Leipzig

27. HELSINKI PHILHARMONIC ORCHESTRA WIND QUINTET

a: 1976

b/c: Matti Helin
    Aale Lindgren
    Paavo Lampinen
    Timo Ronkainen
    Matti Tossavainen

d: The Helsinki Philharmonic Orchestra Wind Quintet, c/o Finlandia
   Hall, Karamzininkatu 4, SF - 00100 Helsinki

28. HELSINKI QUINTET

a: 1971

b/c: Mikael Helasvuo
    Erkki Paananen
    Reino Simola
    Kari Alanne
    Pekka Katajamäki

d: Mikael Helasvuo, Eerikinkatu 15-17 D, SF - 00100 Helsinki 10

29. ISRAEL WOODWIND QUINTET

a: 1963

b: Uri Shoham
   Eliahu Thorner
   George Marton
   Pierre del Vescovo
   Mordechai Rechtman

c: Uri Shoham
   Eliahu Thorner
   Richard Lesser
   Meier Rimon
   Mordechai Rechtman

d: Eliahu Thorner, 2 Yehuda Hamaccabi St., Tel Aviv 62032, IL

30. KARLOVARSKÝ DECHOVÝ KVINTET (Karlsbader Bläserquintett)

a: 1945

c: Jaroslav Machálek
   Hana Mazurová
   Josef Malý
   Josef Šálek
   Alexandr Šťastný

d: Jaroslav Machálek, c/o Karlovarský symfonický orchestr,
   CS - 360 01 Karlovy Vary

31. KIBBUTZ WOODWIND QUINTET

a: 1965

c: Yechi-am Peled
   Yehuda Golany
   Noam Dror
   Amir Yafre
   Ehud Lybner

d: Yehuda Menuhin, Beit-Alpha 19140, IL

32. LIEURANCE-BLÄSERQUINTETT

c: Gay Jones
   Judith Dicker
   Walter James Jones
   Nicholas Smith
   Michael Dicker

33. MARSYAS-QUINTETT

a: 1976

c: H. Matthias Nitsche
   Harald Häbich
   Wilfried Klose
   Georg Nitsche
   Bruno Eberspächer

d: Georg Nitsche, Werastr. 49, D - 7000 Stuttgart 1

34. MÜNCHNER BLÄSERQUINTETT

c: Max Hecker
   Kurt Kalmus
   Gerd Starke
   Kurt Richter
   Karl Kolbinger

d: c/o Bayerischer Rundfunk, D - 8000 München 2

35. NEW ART WIND QUINTET

a: 1947

c: Andrew Lolya
   Melvin Kaplan
   Irving Neidich
   Earl Chapin
   Tina di Dario

36. NIEDERÖSTERREICHISCHES BLÄSERQUINTETT

a: 1973

b / c: Heidi Bauer
       Alfred Hertel
       Ewald Wiedner   d: Dr. Werner Schulze,
       Alois Schlor   Mozartgasse 9,
       Werner Schulze   A - 2700 Wiener Neustadt

37. OSTRAVSKÉ DECHOVÉ KVINTETO   (Ostrauer Bläserquintett)

a: 1956

b: Vladislav Beran   c: Josef Pukovec
   Josef Kutmon   Josef Kutmon
   Theodor Halama   Valter Vítek
   Miloš Novák   Karel Doležil
   Vlastimil Mandous   Vlastimil Mandous

d: Vlastimil Mandous, Makarenkova 10/100, CS - 736 00 Havířov I

38. LE PENTACLE

a: 1969

b / c: Bernard Pierreuse
       Daniel Cognon
       Rigobert Mareels
       Michel Bassinne
       Jean-Pierre Guillemyn

d: Daniel Cognon, 53b, rue Louis Pasteur, B - 4610 Beyne-Heusay

39. PHILADELPHIA WOODWIND QUINTET

a: 1950

c: Murray Panitz
   John de Lancie
   Anthony Gigliotti
   Mason Jones
   Bernard Garfield

40. PHOENIX WOODWIND QUINTET

a: 1968

b: Margaret Schecter   c: Margaret Schecter
   Andrejs Jansons   Andrejs Jansons
   Aris Chavez   William Shadel
   Francisco Donamura   Stuard Butterfield
   Richard Vrotney   Randolph Haviland

d: The Phoenix Woodwind Quintet, 73 Glenwood Ave, Leonia, N.J.07605

41. PODĚBRADSKÉ DECHOVÉ KVINTETO
    (Bläserquintett der Stadt Poděbrady)

a: 1961

b: Jaroslav Bursa   c: Josef Kubín
   Vlastimil Žoha   Josef Obrázek
   Josef Chalupný   Miroslav Vlk
   Bohumil Med   Milan Prokeš
   Jaroslav Bednář   Jaroslav Bednář

d: Jaroslav Bednář, Leninova 552/II, CS - 290 01 Poděbrady

214

42. PRAŽSKÉ DECHOVÉ KVINTETO   (Prager Bläserquintett)

a: 1968

b: Jan Hecl   c: Jan Hecl
   Miloslav Hašek   Jiří Kaniak
   Jiří Štengl   Jiří Štengl
   Miloš Petr   Miloš Petr
   Josef Slanička   Lumír Vaněk

d: Prof. Jan Hecl, Janouškova 1, Praha 6 - Petřiny, CS

43. LE QUINTETTE À VENT BELGE

a: 1973

b / c: Paul Vanwolleghem
       Louis op 't Eynde
       Guy Gérard
       Hubert Biebaut
       Yves Bomont

d: Guy Gérard, Avenue de la Sabliere 18, B - 1160 Eruxelles

44. REJCHOVO DECHOVÉ KVINTETO   (Reicha-Bläserquintett)

a: 1954

b: Miloslav Klement   c: Miloslav Klement
   Karel Klement   Karel Klement
   Miloš Kopecký   Josef Vokatý
   Rudolf Beránek   Rudolf Beránek
   Václav Cvrček   Václav Cvrček

d: Miloslav Klement, V Cibulkách 54, CS - 150 00 Praha 5

45. RESIDENZ-QUINTETT, MÜNCHEN

a: 1969

b: Bernhard Walter
   Hagen Wangenheim
   Rupert Kreipl
   Olaf Klamand
   Josef Peters

d: Olaf Klamand, Rudolf-Wilke-Weg 30, D - 8000 München 71

46. RICHARDS QUINTET

a: 1948

b: Alexander Murray   c: Israel Borouchoff
   Daniel Stolper   Daniel Stolper
   John McCaw   Elsa Ludewig-Verdehr
   Douglas Campbell   Douglas Campbell
   Edgard Kirk   Edgar Kirk

d: Albert Kay Associates, Inc. Concert Artists Management,
   58 West 58th St., New York, N.Y. 10019

47. SONI VENTORUM

a: 1961

b: Felix Skowronek   c: Felix Skowronek
   James Caldwell   Laila Storch
   William McColl   William McColl
   Robert Bonnevie   Christopher Leube
   Arthur Grossman   Arthur Grossman

d: Soni Ventorum Wind Quintet, c/o Univ. of Washington, School of
   Music, Seattle, Wash. 98195

48. STALDER QUINTETT

a: 1955

b: Ursula Buckhard   c: Ursula Buckhard
   Peter Fuchs ˊ   Peter Fuchs
   Hans Rudolf Stalder   Hans Rudolf Stalder
   Gaston Stadlin   Bernard Leguillon
   Werner Krakenberger   Paul Meyer

d: Hans Rudolf Stalder, Wengi 2, CH - 8126 Zumikon

49. STUTTGARTER BLÄSERQUINTETT

a: 1960

c: Willy Freivogel
   Sigurd Michael
   Karl Singer
   Friedhelm Pütz
   Hermann Herder

d: Willy Freivogel, Bahnhofstr. 82, D - 7036 Schönaich

50. SYRINX-QUINTETT

a: 1970/75

b: Ingrid Salewski   c: Ingrid Salewski
   Dieter Salewski   Dieter Salewski
   Wolfgang Meyer   Wolfgang Meyer
   Hermann Single   Karl-Theo Molberg
   Rainer Schottstädt   Rainer Schottstädt

d: Dieter Salewski, Villacherstr. 54, D - 8000 München 21

51. J. TANUU QUINTET

d: c/o Uve Uustalu, Suur-Karja 10-2, 200001 Tallinn, Estonia, USSR

52. TONKÜNSTLERQUINTETT

c: Gustav Szöke
   Margit Quendler
   Rolf Eichler
   John Brownlee
   Hermann Stiedl

53. TORONTO WINDS

a: 1971/72

b / c: Nicholas Fiore
      Melvin Berman
      Stanley McCartney
      Eugene Rittich
      Christopher Weait

d: Christopher Weait, 23 Gaspé Road, Willowdale, Ontario M2K 2E7

54. TUCKWELL WIND QUINTET

a: 1968

c: Peter Lloyd
   Derek Wickens
   Antony Pay
   Barry Tuckwell
   Martin Gatt

d: Barry Tuckwell, 21 Lawford Road, London N.W.5, England

55. WESTWOOD WIND QUINTET

a: 1959

b: Gretel Shanley   c: Gretel Shanley
   Peter Christ   Peter Christ
   David Atkins   David Atkins
   Herman Lebow   Calvin Smith
   David Breidenthal   Kenneth Munday

d: Peter Christ, 2634 Medlow Ave., Los Angeles, Calif. 90065

56. WIENER BLÄSERQUINTETT

a: 1961

b: Franz Opalensky   c: Gottfried Hechtl
   Manfred Kautzky   Manfred Kautzky
   Fritz Fuchs   Siegfried Schenner
   Friedrich Gabler   Robert Freund
   Karl Dvořák   Karl Dvořák

d: Karl Dvořák, Erzherzog Karl Str. 83/10, A - 1220 Wien

57. WINGRA WIND QUINTET

a: 1965

b: Robert Cole   c: Robert Cole
   Harry Peters   Marc Fink
   Glenn Bowen   Glenn Bowen
   John Barrows   Douglas Hill
   Richard Lottridge   Richard Lottridge

d: Robert Cole, c/o Univ. of Wisconsin, School of Music,
   455 N. Park St., Madison, Wisc. 53706

Addendum:

FODOR-BLÄSERQUINTETT, AMSTERDAM

a: 1975

b / c: Marieke Schneemann
       Bart Schneemann
       Harman der Boer
       Simon bij de Ley
       Ronald Karten

d: M. & B. Schneemann, Overtoom 14, Amstderdam, NL

BLÄSERQUINTETTE OHNE WEITERE ANGABEN

WOODWIND QUINTETS WITHOUT FURTHER INFORMATIONS

1. AMERICAN WOODWIND QUINTET
2. ARIEL QUINTET
3. BELGRADER BLÄSERQUINTETT, Beograd, YU
4. BERLINER BLÄSERQUINTETT, Berlin
5. BLÄSERQUINTETT DER MECKLENBURGISCHEN STAATSKAPELLE
6. BOSTON UNIVERSITY WOODWIND QUINTET
7. BUKARESTER BLÄSERQUINTETT, Bucureşti, R
8. CLARION WIND QUINTET
9. CONNECTICUT UNIVERSITY WIND QUINTET
10. COPENHAGEN WIND QUINTET
11. EASTMAN WOODWIND QUINTET
12. GALLIARD WOODWIND QUINTET
13. HAFNIA QUINTET
14. HAIFA WIND QUINTET
15. IOWA WOODWIND QUINTET
16. KWINTET DETY PANSTWOWEJ FILHARMONII, Częstochowa, PL
17. KWINTET DETY PANSTWOWEJ FILHARMONII, Łódź, PL
18. KWINTET DETY POLSKIEGO RADIA I TELEVIZJI
19. LARK QUINTET
20. LEONARDO WIND QUINTET

21. LONDON MUSIC GROUP
22. LONDON PRO MUSICA
23. LONDON WIND QUINTET
24. LONDON WIND SOLOISTS
25. LOS ANGELES WIND QUINTET
26. MOORE QUINTET
27. MOSKAUER BLÄSERQUINTETT
28. MUSICA ARTS QUINTET
29. NEW WIND QUINTET OF THE ROYAL ORCHESTRA, DK
30. NEW YORK WOODWIND QUINTET
31. NORWEGIAN WOODWIND QUINTET
32. OBERLIN FACULTY WIND QUINTET
33. PACIFIC WIND QUINTET, Victoria, CDN
34. PERMUTATIONS QUINTET
35. POTSDAM BLÄSERQUINTETT
36. QUINTETTE À VENT FRANÇAIS, Paris
37. QUINTETTE À VENT DE PARIS
38. QUINTETTE À VENT, Quebec City, CDN
39. RADIODIFFUSION FRANÇAISE QUINTETTE, Paris
40. UNIVERSITY OF OREGON WOODWIND QUINTET
41. WARSCHAUER BLÄSERQUINTETT, Warszawa, PL

V E R L A G E

P U B L I S H E R S

+ erloschen - expired

ACA - American Composer's Alliance, 170 West 74th Street,
    New York, N.Y. 10023

Ahn & Simrock, Widenmayerstr. 6, D - 8000 München 22

A.M.A. Verlag, c/o Sortiment Kliment, Kolingasse 15, A - 1090 Wien

AMC - American Music Center, 250 West 57th St., New York, N.Y. 10019

AMP - Associated Music Publishers Inc., 866 Third Avenue,
    New York, N.Y. 10022

Andraud ☞ Southern

André, Johann, D - 6050 Offenbach a.m.

Ars-Viva-Verlag GmbH, Postfach 3640, D - 6500 Mainz

Artia Verlag, Ve Smečkách 30, CS - 111 27 Praha 1

Artisan Music Press, 10 Maple Rd., Cornwall-on-Hudson, N.Y. 12520

Artransa ☞ Western

ASCAP - American Society of Composers, Authors and Publishers,
    1 Lincoln Plaza, New York, N.Y. 10023

Astoria Verlag, Brandenburgische Str. 22, D - 1000 Berlin 31

Augener ☞ Galliard

Australian Performing Right Assn. Ltd., Sydney

Autograph Editions, c/o Philharmusic Corp., P.O.B. 180,
    West Nyack, N.Y. 10994

Avant ☞ Western

Bärenreiter Verlag, Heinrich-Schütz-Allee 29-37, D - 3500 Kassel;
    32 Great Titchfield Street, London

Barnhouse, Oskaloosa, Iowa 52577

Baron, H. & Co., 136 Chatsworth Road, London NW2

Belwin-Mills Music Publishing Corp., 25, Deshon Drive,
    Melville, N.Y. 11746

Benjamin, Anton J., Werderstr. 44, D - 2000 Hamburg 13;
    239/241 Shaftesbury Avenue, London

Berandol Music Ltd., 11 St. Joseph St., Toronto, Ontario M4Y 1J8

Billaudot, Gérard, 14, rue de l'Échiquier, F - 75010 Paris

Birnbach, Richard, Dürerstr. 28 a, D - 1000 Berlin 45

BKJ Publications, Box 324, Astor Station, Boston, Mass. 02123

BMI Canada Ltd., 16 Gould Street, Toronto 2, Ontario

Böhm, Anton & Sohn, D - 8900 Augsburg

Bomart - Boelke-Bomart Inc., Hillsdale, N.Y. 12529

Bongiovanni, Francesco, Via Rizzoli 28 e, I - 40125 Bologna

Boonin, Joseph ☞ EAM

Boosey & Hawkes, Prinz-Albert-Str. 26, D - 5300 Bonn 1;
    295 Regent Street, London W1R 8JH;
    P.O.B. 130, Oceanside, N.Y. 11572

Bosworth & Co., Richartz-Str. 10, D - 5000 Köln 1

Bote & Bock, Hardenbergstr. 9a, D - 1000 Berlin 12

Bourne Inc., 1212 Ave. of the Americas, New York, N.Y. 10036

Breitkopf & Härtel, Postfach 74, D - 6200 Wiesbaden 1;
    Karlstr. 10, DDR - 701 Leipzig;
    8 Horse and Dolphin Yard, Macclesfield St., London W1V 7LG

Briegel, G. F. +

Bright Star Music Publications, 911 North Formosa Avenue,
    West Hollywood, Calif. 90046

Broekmans & van Poppel, Van Barlestraat 92, NL - Amsterdam

Brogneaux, Éditions Musicales, 73, Paul Jansonlaan,
    B - Bruxelles 7

Bromley Hull

Broude Brothers Ltd., 56 West 45th Street, New York, N.Y. 10036

BSV - Bulgarischer Staatsverlag - Bulgarian State Publishers,
    BG - Sofia

Camara Music Publishers, 23 LaFond Lane, Orinda, Calif. 94563

CBDM - Centre Belge de Documentation Musicale,
    3, rue du Commerce,   B - 1000 Bruxelles

Chappell & Co. Ltd., 50 New Bond Street, London W1A 2BR;
    Presser Place, Bryn Mawr, Pa. 19010

Chester, J. & W., Eagle Court, London EC1M 5QD

ČHF - Český hudební fond, Besední 3, CS - 118 00 Praha 1

Choudens, Éditions, 38, rue Jean Mermoz, F - 75008 Paris

Composers Press, Inc., 1211 Ditmas Ave, Brooklyn, N.Y. 11218

Composers Recording, Inc., New York, N.Y.

Concord ☞ Elkan

Continental Edition (B. Leopold), CS - Praha +

Contemporary Music Project, Music - University Microfilms,
    300 N. Zeeb Rd., Ann Arbor, Mich. 48106

Cor Publishing Co., 67 Bell Place, Massapegua, N.Y. 11758

Corona, Edition (Rolf Budde KG), Hohenzollerndamm 54 a,
    D - 1000 Berlin 33

Costallat ☞ Billaudot

Cubitt, W. D. & Son, London

Curci, Edizioni, 4 Galleria del Corso, I - 20121 Milano

Curwen, J. & Sons Ltd., 29 Maiden Lane, London

Dania, Edition, Kronprinsessgade 26, DK - Copenhagen

DAP-Verlag Pescheck, A - 4051 Traun-St. Martin

Dehace Musikverlag, Faistenlohestr. 18, D - 8000 München 60

Derry Music Co. ☞ De Wolfe

De Wolfe, 80-82 Wardour Street, London W1V 3LF

Ditson, Oliver, Boston ☞ Presser

Doblinger, Ludwig, Postfach 882, A - 1011 Wien

Donemus, Jacob Obrechtstraat 51, NL - Amsterdam - Z

Döring, Gotthard von, Franz-Schubert-Str. 9, D - 7033 Herrenberg

DSS - Društva Slovenskih Skladateljev, Trg francoske revolucije 6,
    YU - 61000 Ljubljana

Durand & Cie, Éditions, 4, Place de la Madeleine, F - 75008 Paris

Durdilly, V., Paris +

DVfM - Deutscher Verlag für Musik, Karlstr. 10, DDR - 701 Leipzig

EAM - European American Music Distributors Corp., 195 Allwood Rd.,
    Clifton, N.J. 07012

Eble Music Co.

Editura Muzicală, Calea Victorici 141, R - Bucureşti 1

Ehrling, Thore - Musik AB, Linnégatan 9-11, S - 10245 Stockholm

Elder

Elkan-Vogel, Inc., Bryn Mawr, Pa. 19010

EMB - Editio Musica Budapest, Vörösmarty tér 1, H - 1389 Budapest

ENM - Escola National de Musica, BR - Rio de Janeiro

Eschig, Max, 48, rue de Rome, F - 75008 Paris

Eulenburg, Edition, Grütstr. 28, CH - 8134 Adliswil ZH

Evette & Schaeffer, 108, rue d'Aboukir, F - 75002 Paris

Faber Music Ltd., 3 Queen Square, London WC1N 3AV

Falter, M., München +

Fazer AB, SF - Helsinki

Fema Music Publications, P.O.B. 395, Naperville, Ill. 60540

Fischer, Carl, 56-62 Cooper Square, New York, N.Y. 10003

FitzSimmons, H. T., 615 N. LaSalle St., Chicago, Ill. 60610

Fox, Sam, P.O.B. 850, Valley Forge, Pa. 19482

FST - Föreningen Svenska Tonsättare, Tegnérlunden 3,
    S - Stockholm

Galaxy Music Corp., 2121 Broadway, New York, N.Y. 10023

Galliard Ltd., Queen Anne's Rd., Southtown, Gt. Yarmouth, Suffolk

Gamble Hinged Music Co., 218 S. Wabash St., Chicago, Ill. 60603

Gamut Publishing Co., Cambridge, England

Gehrmans, Carl, Apelbergsgt. 58, S - 10126 Stockholm

General Music Publishing Co., Inc., c/o G. Schirmer
    866 Third Anenue, New York, N.Y. 10022

Gerig, Hans, Drususgasse 7-11, D - 5000 Köln 1

Gobert, Paris +

Gornston, David, New York +

Grosch, Philipp c/o Musikverlag Elisabeth Thomi-Berg,
    Postfach 322, D - 8000 München 60

Hamelle, Éditions, 24, Blvd. Malesherbes, F - 75008 Paris

Hansen, Wilhelm, Postfach 3674, D - Frankfurt a.M.;
    Gothersgade 9-11, DK - 1123 Copenhagen

Heinrichshofen's Verlag, Liebigstr. 16, D - 2940 Wilhelmshaven

Henn-Chapuis, 8, rue de Hesse, CH - 1204 Genève

Heugel & Cie, 56-58, rue de Montpensier, F - 75002 Paris

Hinrichsen Edition Ltd., 10-12 Baches Street, London

Hudebni Matice ☞ Supraphon

Hohner, Matthias, Postfach 160, D - 7217 Trossingen

Hug & Co., Limmatquai 26-28, CH - 8022 Zürich

Hüllenhagen & Griehl, Ringstr. 52, D - 2000 Hamburg 73

Iceland Music Information Centre, Laufásveg 40, IS - Reykjavik

Ichthys Verlag GmbH, Postfach 834, D - 7000 Stuttgart 1

IMC - International Music Company, 511 Fifth Avenue,
    New York, N.Y. 10017

IMI - Israel Music Institute, P.O.B. 11253, IL - Tel Aviv

IMP - Israeli Music Publ. Ltd., P.O.B. 6011, IL - Tel Aviv

Iris Verlag, Postfach 740, D - 4350 Recklinghausen

Jaymar Music Ltd., Iroquois Press, P.O.B. 3083, London 12, Ontario

Joventute Musicale, E - Barcelona

Kahnt, C. F., Höhenstr. 52, D - 8992 Wasserburg am Inn

Kalmus, Edwin F., P.O.B. 1007, Opa-Locka, Florida 33054

Kasparek Edition, Pelargonienweg 41, D - 8000 München 70

Kay & Kay

Kendor Music Inc., Main & Grove Sts., Delevan, N.Y. 14042

Kerby, E. C., Ltd., 198 Davenport Road, Toronto 5, Ontario

Kistner, Fr. und C.F.W. Siegel & Co., Am Kielshof 2, D - 5000 Köln 90

Kjos, Neil A., Music Co., 4382 Jutland Drive, San Diego, Calif. 92117

Kneusslin, Edition, Amselstr. 43, CH - 4000 Basel 24

Köper, Karl-Heinz, Schneekoppenweg 12, D - 3001 Isernhagen

Lacour, Lucien de ☞ Billaudot

Lafleur, J. R. & Son, London

Larsen

Leblanc, Kenosha, Wisc. 53140

Leduc, Alphonse, 175, rue St.-Honoré, F - 75040 Paris

Leeds Music Ltd., 138 Piccadilly, London W1V 9FH;
      New York, N.Y. ☞ MCA

Lehne, Hannover ⁺

Lemoine, Henry, Editions, 17, rue Pigalle, F - 75009 Paris

Leuckart, F.E.C., Nibelungenstr. 48, D - 8000 München 19

Lienau, Robert, Lankwitzer Str. 9, D - 1000 Berlin 45

Litolff's Verlag, Henry, Postfach 700906, D - 6000 Frankfurt a.m.70

Lopés Edition Ltd., Northway House, High Road, Whetstone,
      London N20 9LP

Lyche, Harald & Co., Kongensgaten 2, N - Oslo 1

Mannheimer Musikverlag GmbH, Postfach 1504, D - 6800 Mannheim 1

Maurer, J., Éditions, 7, rue du Verseau, B - Bruxelles

MCA Music Corp., c/o Belwin-Mills Publishing Corp.
      MCA Music GmbH, Drususgasse 7-11, D - 5000 Köln

McGinnis & Marx, c/o Pietro Deiro, 133 7th Ave., New York, N.Y. 10014

MDV - Mitteldeutscher Verlag, Postfach 295, DDR - 401 Halle a.d.S.

Mercury Music Corp., Presser Place, Bryn Mawr, Pa. 19010

Merseburger Verlag GmbH, Motzstr. 13, D - 3500 Kassel

Metropolis Editions, Van Ertbornstr. 4, B - 2000 Antwerpen

Mexicanas, Editiones, Mexico City ☞ Peer

Meždunarodnaja kniga, SU - Moskva

MIC - Muzički Informativni Centar, Trnjanska bb, YU - 41000 Zagreb

Mills ☞ Belwin-Mills

Modern, Edition, Hans Wewerka Musikverlag, Franz-Josef-Str. 2,
    D - 8000 München 40

Moeck Verlag, Postfach 143, D - 3100 Celle 1

Molenaar

Möseler, Karl Heinrich, Postfach 460, D - 3340 Wolfenbüttel

Müller, Willy, Süddeutscher Musikverlag KG, Märzgasse 5,
    D - 6900 Heidelberg

Musica Rara, 2, Great Marlborough Street, London W.1

Muzgiz - Sowjetischer Zentralverlag, SU - Moskva

Muzyka, Isdatelstvo, Neglinnaja ul. 14, SU - Moskva K-45

NACWPI

Neue Musik, Leipziger Str. 26, DDR - 108 Berlin

New Music, 1131 Donaire Way, Pacific Palisades, Calif. 90272

New Wind Music Co., 23 Ivor Place, London N.W.1

Noël ☞ Billaudot

Nordiska Musikförlaget, P.O.B. 745, S - 10130 Stockholm

Norsk Musikförlag, P.O.B. 1499 Vika, N - Oslo 1

Nouvelles, Les, Paris +

Novello & Co. Ltd., Borough Green, Sevenoaks, Kent, England

Oertel, Louis, Postfach 100, D - 3006 Burgwedel

l'Oiseau-Lyre, Éditions de, Les Remparts, MC - Monaco

Omega Music, 170 W. 44th Street, New York, N.Y. 10036

Ongaku-No-Tomo-Sha Corp., 6-30 Kagura-zaka, Shinjuku-ku,
    J - Tokyo 162

Orbis, Nakladatelství, Vinohradská 46, CS - 12041 Praha 2

Orlando-Musikverlag - Richard Gartenmaier KG, Kapruner Str. 11,
    D - 8000 München 21

OUP - Oxford University Press - Music Dept., 44 Conduit Street,
    London W1R ODE
    200 Madison Ave., New York, N.Y. 10016

Pan Pipes - Sigma Alpha Iota Publications, January issues,
    4119 Rollins Ave., Des Moines, Iowa 50312

Panton, Říční 12, CS - 118 39 Praha 1

Paterson's Publications, 36-40 Wigmore St., London W.1

PAU - Pan American Union, Washington, D.C.; New York, N.Y.
      Peer

Pazdírek, CS - Brno +

Peer - Southern Publ., 1740 Broadway, New York, N.Y. 10019;
    Peer Musikverlag GmbH, Postfach 602129, D - 2000 Hamburg 39

Pelikan, Musikverlag zum, Hadlaubstr. 63, CH - 8044 Zürich

Peters, C. F., Postfach 700906, D - 6000 Frankfurt a.m. 70;
    Postfach 746, DDR - 701 Leipzig;
    10-12 Baches Street, London N.1;
    373 Park Ave. South, New York, N.Y. 10016

Pillin Music, Los Angeles, Calif. ☞ Western

Pinatel, Paris +

Pleyel, Ignaz, Paris +

Presser, Theodore, Presser Place, Bryn Mawr, Pa. 19010

Pro Art Music Publ. Inc., c/o Belwin-Mills Publishing Corp.

PWM - Polskie Wydawnictwo Muzyczne, Al. Krasińskiego 11a,
    PL - 31-111 Kraków

Pyraminx Publications, 358 Aldrich Rd., Fairport, N.Y. 14450

Remick Music Corp., c/o Warner Brothers Music,
    75 Rockefeller Plaza, New York, N.Y. 10019

Reuter & Reuter Förlags AB, Brahegatan 20, S - 11437 Stockholm

Rhodes, Roger, Music Ltd., P.O.B. 855, Radio City Station,
    New York, N.Y. 10019

Richardson, Norman, 8 King Edward Grove, Teddington,
    Middlesex, England

Ricordi, G. & Co., Via Salomone 77, I - 20138 Milano;
    Postfach 221780, D - 8000 München 22

Ries & Erler, Charlottenbrunner Str. 42, D - 1000 Berlin 33

Rongwen Music Inc., 56 West 45th Street, New York, N.Y. 10036

Rubank Inc., 16215 N.W. 15th Ave., Miami, Florida 33169

Rubato Musik-Verlag, Hollandstr. 18, A - 1020 Wien

Rühle, Karl & Wendl, Leipzig +

Salabert, Éditions, 22, rue Chauchat, F - 75009 Paris;
    575 Madison Ave. and 57th St., New York, N.Y. 10022

Samfundet til Udgivelse ad Dansk Musik - Dan Fog Musikforlag,
    Graabrodretørv 7, DK - 1154 Copenhagen K

Sansone ☞ Southern

Santis

Schirmer, G., Inc., 866 Third Ave., New York, N.Y. 10022

Schlesinger ☞ Lienau

Schmidt, C.F., Edition Cefes, Postfach 3267, D - 7100 Heilbronn

Schneider, Pierre, Paris +

Schott's Söhne, B., Postfach 3640, D - 6500 Mainz 1;
    Schott & Co. Ltd., 48 Great Marlborough St., London W1V 2BN

Schulz, Fritz, Am Märzengraben 6, D - 7800 Freiburg i. Br.

Scott, G., Music Publ. Co., 345 South Citrus Ave.,
    Los Angeles, Calif. 90036

Seesaw Music Corp., 1966 Broadway, New York, N.Y. 10023

Senart, Maurice & Cie, 20, rue du Dragon, F - 75006 Paris

Shawnee Press Inc., Delaware Water Gap, Pa. 18327

SHF - Slovenský hudobný fond, Fučíkova 27, CS - Bratislava

SHV - Státní hudební vydavatelství, Praha ☞ Supraphon

Siècle Musical, Édition du, Blvd. Hélvetique 28, CH - 1207 Genève

Sikorski, Hans, Postfach 132001, D - 2000 Hamburg 13

Simrock, N., Postfach 2561, D - 2000 Hamburg 13

Sirius Verlag c/o Heinrichshofen

Skandinavisk Musikforlag A/S, Gothersg. 9-11, DK - 1123 Copenhagen

Skidmore Music Co., New York, N.Y.

SNKLHU - Státní nakladatelství krásné literatury hudby a umění,
    Praha ☞ Supraphon

Societé d'Éditions Musicalco Int., Paris

Southern Music Co., P.O.B. 329, San Antonio, Texas 78215

Sovietski Kompozitor, Izdatelstvo, Naberezhnaya M. Thoreza 30,
    SU - Moskva W-35

SPAM - Society for the Publication of American Music,
    c/o Theodore Presser Company

Spratt, Jack, Woodwind Shop, 199 Sound Beach Ave.,
    Old Greenwich, Conn. 06870

Stainer & Bell Ltd., 82 High Rd., East Finchley, London N29PW

Standard Edition, Berlin +

STIM - Swedish Music Information Center, P.O.B. 1539,
    S - 111 85 Stockholm

Supraphon, Palackého 1, CS - 112 99 Praha 1

Templeton Publishing Co. Inc., Delaware Water Gap, Pa. 18327

Tischer und Jagenberg Musikverlag, Am Bahnhof Tierpark 36,
    D - 4600 Dortmund-Brünninghausen

Tonos-Musikverlag, Ahastr. 9, D - 6100 Darmstadt

Transatlantiques, Éditions Musicales, 14, Ave. Hoche,
    F - 75008 Paris

Tritone ☞ BMI

UCRPR - Uniunea Compozitorilor din Republica Populara Romina,
    R - Bucuresti

UE - Universal Edition, Postfach 130, A - 1015 Wien;
    Dean Street, London W1V 4DU

Ugrino Verlag, Hasenhöhe 34, D - 2000 Hamburg 55

UME - Unión Musical Española, Carrera de San Jerónimo 26,
    E - Madrid 14

VfMKW - Verlag für Musikalische Kultur und Wissenschaft,

Viking Musikforlag, Strandvej 118, DK - 2900 Hellerup

Volkwein Bros. Inc., 117 Sandusky St., Pittsburg, Pa. 15212

Warny, c/o Hansen, Copenhagen

Waterloo Music Co. Ltd., 3 Regina St., N. Waterloo, Ontario

Weinberger, Josef, Oederweg 26, D - 6000 Frankfurt a.M. 1

Weintraub Music Co., 33 W. 60th St., New York, N.Y. 10023

Western International Music Inc., 2859 Holt Avenue,
    Los Angeles, Calif. 90034

White-Smith

Wilder Music Inc., c/o Margun Music Inc., 167 Dudley Road,
    Newton Centre, Mass. 02159

Williams, Joseph, 29, Endford Street, London W.1

Witmark, M. & Sons, c/o Warner Brothers Music,
    75 Rockefeller Plaza, New York, N.Y. 10019

De Wolfe, 80-82 Wardour St., London W1V 3LF

Zanibon, Gulielmo, Piazza dei Signori 24, I - Padova

Zerboni, Edizioni Suvini, Via M. F. Quintiliano 40,
    I - 20138 Milano

Zimmermann KG, Postfach 940183, D - 6000 Frankfurt a.M. 90

BIBLIOGRAPHY

Altmann, Wilhelm   Kammermusik-Katalog
                        Hofheim am Taunus: Hofmeister, 1944

Baron, S.   The Woodwind Quintet: a symposium
                        Woodwind Magazine, March - Dec. 1954

Bechler, Leo & Bernhardt Rahm   Die Oboe
                        Leipzig: Merseburger, 1914
                        Reprint: Walluf bei Wiesbaden: Sändig, 1972

Bigotti, Giovanni   Storia dell'Oboe e sua Letteratura
                        Padova: Zanibon, 1974

Brisbin, John D. K.   The Hornist's Compendium
                        637 Willowburn Crescent, S.E.
                        Calgary, Alberta, Canada T2J 1M9

Brixel, Eugen   Klarinetten-Bibliographie I
                        Wilhelmshaven: Heinrichshofen, 1978

Brüchle, Bernhard   Horn-Bibliographie I, II
                        Wilhelmshaven: Heinrichshofen, 1970, 1975

(CA) Composers of the Americas, 9 vols
                        Washington, D.C.: Pan American Union, 1954-1963

Camden, Archie   Bassoon Technique
                        London: Oxford Univ. Press, 3rd reprint 1975

Caringi, Joseph John   The Clarinet Contest Solos of the Paris
                        Conservatory (1897 - 1960)
                        EdD diss., Columbia University, 1963

Chamber Music by Living British Composers
                        London: British Music Information Centre, 1969

Chapman, Frederick B.   Flute Technique
                        London: Oxford Univ. Press, 4th ed. 1973

(ČHS) Československý hudební slovník I, II
                        Praha: Státní hudební vydavatelství, 1963

Cobbett, Walter W.   Cobbett's Cyclopedic Survey of Chamber Music
                        London: Oxford Univ. Press, rev. 2nd ed., 1963

Contemporary Hungarian Composers
                        Budapest: Editio Musica Budapest, 1970

Cosma, Viorel   Muzicieni Români
                        Bucuresti: Editura Musicală, 1970

Doherty, Charles R. Twentieth Century Woodwind Quintet
Music of the United States
DMA diss., Univ. of Missouri - Kansas City,
1971

Eagon, Angelo Catalog of Published Concert Music by
American Composers
Metuchen, N.J.: Scarecrow, 2nd ed., 1969

Fétis, François-J. Biographie universelle des musiciens et
bibliographie generale de la musique
Paris: Didot, 1860-65

Gardavský, Čeněk Skladatelé dneška
Praha: Panton, 1961

Gewehr, Frances C. Program for Contemporary Chamber Music
Washington, D.C.: Elizabeth Sprague Coolidge
Foundation, Library of Congress, 1961

Gilbert, Richard Clarinetist's Solo Repertoire
New York: Grenadilla Soc., 1972

Girard, Adrien Histoire et Richesses de la Flûte
Paris: Libraire Grund, 1953

Gorgerat, Gérald Encyclopédie de la musique pour instruments
à vent I, II
Lausanne: Editions Rencontre, 1955

Gregory, Robin The Horn
London: Faber & Faber, 2nd ed. 1969

Greissle, F. Die formalen Grundlagen des Bläserquintetts
von Arnold Schoenberg
Musikblätter des Anbruck, vol.7, No. 2, 1925

Helm, Sanford M. Catalog of Chamber Music for Wind Instruments
Ann Arbor, Mich.: Braun-brumfield, 1952
rev. ed. New York: Da Capo, 1969

Hošek, Miroslav Katalog der Oboenliteratur tschechischer und
slowakischer Autoren
Prag: Tschechoslowakisches Musikinformations-
zentrum, 1969

Oboen-Bibliographie I
(Unter Mitarbeit von R. H. Führer)
Wilhelmshaven: Heinrichshofen, 1975

Houser, Roy Catalogue of Chamber Music for Woodwind
Instruments
New York: Da Capo, 1973

Hudební rozhledy Praha

Jansen, Will The Bassoon
NL - Buren: Frits Knuf, 1978 -
3 vols.

Jensen, John	A Bibliography of Chamber Music for French Horn Master's thesis, Univ. of Calif., 1962
Jones, William J.	The Literature of the Transverse Flute in the Seventeenth and Eighteenth Centuries Doct. diss., Northwestern Univ., Evanston, Ill., 1952
Kratochvíl, Jiří	Dějiny a literatura dechových nástrojů I, II Ms, Prag: Musik-Hochschule, 1971
Kroll, Oskar	Die Klarinette Kassel: Bärenreiter, 1965
	The Clarinet London: Batsford / New York: Taplinger, 1968
Kurtz, Saul James	A Study and Catalog of Ensemble Music for Woodwinds Alone or with Brass from ca. 1700 to ca. 1825 PhD diss., Univ. of Iowa, 1971
Meyer, Jürgen	Akustik und musikalische Aufführungspraxis Frankfurt am Main: Das Musikinstrument, 1977
	Acoustics and the Performance of Music Frankfurt am Main: Das Musininstrument, 1978
(MGG) Musik in Geschichte und Gegenwart	Kassel: Bärenreiter, 1949 -
Munsell, Donald T.	A Comprehensive Survey of Solo Bassoon Literature Published After ca. 1929 Doct. diss., Univ. of Iowa, 1969
Music Educators Journal, Washington, D.C.	
Opperman, Kalmen	Repertory of the Clarinet New York: Ricordi, 1960
Paclt, Jaromír	Slovník světových skladatelů Praha: Supraphon, 1972
Pellerite, James J.	A Handbook of Literature for the Flute Bloomington, Ind.: Zālo, 2nd ed. 1965
Peters, Harry B.	The Literature of the Woodwind Quintet Metuchen, N.J.: Scarecrow, 1971
Prill, Emil	Führer durch die Flöten-Literatur Leipzig: Heinrich Zimmermann, 1899 Supplement 1913
Rasmussen, Mary	A Bibliography of Chamber Music Including Parts for Horn Brass Quarterly, 1959-1961
	A Bibliography of Symphonies Concertantes, Concerti Grossi, etc., Including Solo Parts for the Horn Brass Quarterly, vol. V, 2, 1961

Rasmussen, Mary & Donald Mattran   A Teacher's Guide to the
Literature of Woodwind Instruments
Durham, N.H.: Appleyard, 1966

Reis, Claire   Composers in America
New York: Macmillan, 1938

Riemann Musik Lexikon
Mainz: B. Schott's Söhne, 1959-75

Rothwell, Evelyn   Oboe Technique
London: Oxford Univ. Press, rep. 2nd ed. 1971

Rush, Ralph Eugene   The Classical Woodwind Quintet
Master's thesis, Univ. of Southern Calif.
1946

Schäffer, Boguslaw   Leksykon kompozytorów XX. wieku I, II
Kraków: PWM, 1963

Schuller, Gunther   Horn Technique
London: Oxford Univ. Press, 5th ed. 1974

Sirker, Udo   Die Entwicklung des Bläserquintetts in der
ersten Hälfte des 19. Jahrhunderts
Regensburg: Bosse, 1968

Stanton, Robert E.   The Oboe Player's Encyclopedia
Oneonta, N.Y.: Swift-Dorr, 1972

Stephan, R.   Hans Werner Henze (refers to String Quartet
and Wind Quintet, among other works)
Die Reihe, No. 4, 1958

Thurston, Frederick   Clarinet Technique
London: Oxford Univ. Press, 2nd ed. 1973

Vester, Frans   Flute Repertoire Catalogue
London: Musica Rara, 1967

Wilkins, Wayne   The Index of Flute Music Including the
Index of Baroque Trio Sonatas
Magnolia, Ark.: The Music Register, 1974-

The Index of Oboe Music Including the
Index of Baroque Trio Sonatas
Magnolia, Ark.: The Music Register, 1976

The Index of Clarinet Music
Magnolia, Ark.: The Music Register, 1976/77

The Index of Bassoon Music
Magnolia, Ark.: The Music Register, 1976/77

Wise, Ronald Eugene   Scoring in the Neoclassic Woodwind Quintets
of Hindemith, Fine, Etler, and Wilder
PhD diss., University of Wisconsin, 1967

BIBLIOTHEKEN UND MUSIKINFORMATIONSZENTREN

LIBRARIES AND MUSIC INFORMATION CENTRES

Alabama State College, Montgomery, Alabama 36101
AMC - American Music Center, 250 W. 57th St., New York, N.Y. 10019
Ankara Devlet Conservatory, Ankara, TR
Bayerische Staatsbibliothek, D - 8000 München 34
Bayerischer Rundfunk, D - 8000 München 2
Boston University, Boston, Mass. 02215
Brünner Rundfunk, Brno, CS
CBDM - Centre Belge de Documentation Musicale,
   Blvd. de l'Empéreur 4, B-1000 Bruxelles
CHF - Český hudební fond, Besední 3, CS - 118 00 Praha 1
   Leihbibliothek/Lending library: Bařížská 13, Praha 1
Cleveland Institute of Music, Cleveland, Ohio 44106
CMC - Canadian Music Centre, 1263 Bay St., Toronto, Ontario M5R 2C1
Conservatoire National de Musique, F - 75008 Paris
Curtis Institute of Music, Philadelphia, Pa. 19103
Dänischer Rundfunk, Copenhagen, DK
Drake University, Des Moines, Iowa 50309
East Carolina College, Greenville, North Carolina 27834
Eastern Washington State College, Cheney, Washington 99004
Elder Library and Conservatory, Adelaide, AUS
ENM - Escola National de Musica, Rio de Janeiro, BR
Finnish Music Information Centre, Runeberginkatu 15 A 11,
   SF - 00100 Helsinki 10
FST - Föreningen Svenska Tonsättare, Tegnérlunden 3, Stockholm, S
Hart College of Music, Hartford, Conn. 06103
Henderson State Teachers College, Arkadelphia, Arkansas 71923
Hessische Landes- und Hochschulbibliothek, D - 6100 Darmstadt
Iceland Music Information Centre, Laufásveg 40, Reykjavik, IS
IMB - Internationale Musikbibliothek, Postfach 1306, DDR - 108 Berlin
IMI - Israel Music Institute, 4 Chen Blvd., Tel Aviv, IL
JAMU - Janáčkova akademie muzických umění, Brno, CS
Konelig Bibliotek, Copenhagen, DK
Library of Congress, Washington, D.C. 20540
MIC - Muzički Informativni Centar, Trnjanska bb, YU-41000 Zagreb
Michigan State University, Ann Arbor, Mich. 48106
NMIC - Norwegian Music Information Centre, Klingenberggaten 5,
   Oslo 1, N
North Texas State University, Denton, Texas 76203
NYPL - New York Public Library, New York, N.Y. 10017
New York State University, Potsdam, N.Y. 13676
ÖKB - Österreichischer Komponistenbund, Baumannstr. 8-10,
   A - 1031 Wien
ORF - Österreichischer Rundfunk, A - 1041 Wien
Österreichische Nationalbibliothek, A - 1014 Wien
Prager Rundfunk, Praha, CS
Royal Conservatory, Toronto, Ontario
Schweizerischer Rundfunk
Scottish Music Archive, c/o Univ. of Glasgow, 7 Lilybank Gardens,
   Glasgow W.2.

SGAE - Archivo Sinfonico de la S.G.A.E., Calle de San Lorenzo 11,
    Madrid, E
SHF - Slovenský hudobný fond, Fučíkova 27, Bratislava, CS
Sibley Music Library, Eastman School of Music, Univ. of Rochester,
    Rochester, N.Y. 14604
SLB - Sächsische Landes-Bibliothek, Dresden
SMA - Schweizerisches Musik-Archiv, Bellariastr. 82, CH-8038 Zürich
Steirischer Tonkünstlerbund, Quergasse 3/8, A - 8020 Graz
Stiftung Mozarteum Salzburg, Salzburg, A
STIM - Swedish Music Information Canter, Tegnérlunden 3,
    S - 111 85 Stockholm
Südwestfunk Baden-Baden, D - 7570 Baden-Baden
UK Brno - Státní universitní knihovna, Brno, CS
University of Georgia, Athens, Ga. 30601
University of Illinois, Urbana, Ill. 61820
University of Indiana, Bloomington, Ind. 47401
University of Iowa, Iowa City, Iowa 52240
University of North Carolina, Chapel Hill, N.C. 27514
University of Oklahoma, Norman, Okla. 73069
University of S. Illinois, Carbondale, Ill. 62901
University of Texas, Austin, Tex. 78712
University of West Virginia, Morgantown, W.Va. 26506
University of Wisconsin, Madison, Madison, Wis. 53706
University of Southern California, Los Angeles, Calif. 90007
VŠMU - Vysoká škola múzických umení, Bratislava, CS
Washington State University, Pullman, Wash. 99163
West Texas State University, Canyon, Tex. 79015
ZAMP - Institute for the protection of the performing right,
    Ul. 8. Maja 37, YU - 41000 Zagreb

Bernhard Brüchle

MUSIK-BIBLIOGRAPHIEN
FÜR ALLE INSTUMENTE

MUSIC BIBLIOGRAPHIES
FOR ALL INSTRUMENTS

Der Band enthält bibliographische Angaben zu ca. 300 selbständigen und versteckten Werksverzeichnissen für alle Musikinstrumente und Kammermusikbesetzungen in der alphabetischen Reihenfolge der Verfasser. Ein Instrumenten-Index erleichtert die gezielte Suche. Anschriftenlisten von Verlagen, Musikinformationszentren, Fachzeitschriften und Verbänden für Instrumentalisten, sowie eine Auswahl an weiterem musikbibliographischen Quellenmaterial vervollständigen diese "Bibliographie der Bibliographien". Alle wesentlichen Angaben sind ins Englische bzw. Deutsche übertragen. Aufgelockert wird dieses Nachschlagewerk durch Illustrationen aus Jost Ammans Ständebuch von 1568. Ein Nachtragsband ist in Vorbereitung.

96 Seiten   6 Illustrationen   8⁰   Leinen   DM 20,--

This volume includes bibliographical information for ca. 300 self-contained and concealed catalogues of works for particular instruments and chamber music ensembles, alphabetically listed according to the author. The search for a certain work is simplified by an instrument index. Address lists for publishers and music information centers as well as special periodicals and organizations for instrumentalists plus a choice of additional reference and source material in the form of music bibliographies complete this "bibliography of bibliographies." All essential information has been translated into English or German respectively. This reference work has been rendered less formal by illustrations from Jost Amman's "Book of the Classes and Crafts" of 1568. A supplementary volume is in preparation.

96 pages   6 illustrations   octavo   cloth bound   DM 20.--

ISBN 3-921847-00-1

Bernhard Brüchle Edition
Ludwig Thoma-Str. 2b, D- 8022 Grünwald